VOCABULÁRIO TEMÁTICO

Exercícios Lexicais

Isabel Ruela

Direção
Renato Borges de Sousa

Lidel – edições técnicas, lda.

EDIÇÃO E DISTRIBUIÇÃO
Lidel – Edições Técnicas, Lda
Rua D. Estefânia, 183, r/c Dto – 1049-057 Lisboa
Tel: +351 213 511 448
lidel@lidel.pt
Projetos de edição: editec@lidel.pt
www.lidel.pt

LIVRARIA
Av. Praia da Vitória, 14 A – 1000-247 Lisboa
Tel: +351 213 511 448
livraria@lidel.pt

Copyright © 2015, Lidel – Edições Técnicas, Lda.
ISBN edição impressa: 978-989-752-001-3
1.ª edição impressa: maio 2015
Reimpressão de julho 2018

Pré-Impressão: Carlos Mendes
Impressão e acabamento: Realbase - Sistemas Informáticos, Lda. - Albergaria-a-Velha
Dep. Legal: n.º 392568/15

Capa: José Manuel Reis

Todos os nossos livros passam por um rigoroso controlo de qualidade, no entanto, aconselhamos a consulta periódica do nosso *site* (www.lidel.pt) para fazer o*download* de eventuais correções.

Não nos responsabilizamos por desatualizações das hiperligações presentes nesta obra, que foram verificadas à data de publicação da mesma.

Os nomes comerciais referenciados neste livro têm patente registada.

INTRODUÇÃO

Vocabulário Temático é um material complementar para aprendentes de Português Língua Estrangeira que visa o desenvolvimento da competência lexical. Elaborado a partir do Quadro Europeu Comum de Referência para as Línguas (QECR), contempla os níveis A1, A2, B1 e B2. Sendo um material de consulta, é o complemento recomendado para aprofundar e consolidar a aprendizagem da língua.

Vocabulário Temático está organizado em 18 unidades temáticas que se subdividem em duas partes. Na primeira, o vocabulário é apresentado por ordem alfabética e traduzido para inglês, espanhol, alemão e francês. Na segunda, sugerem-se exercícios que favorecem a aplicação do vocabulário em diferentes contextos, permitindo um trabalho individualizado em casa ou na sala de aula.

No Índice, os temas estão apresentados por ordem alfabética e no final do livro são apresentadas as soluções.

AGRADECIMENTOS

Ao Dr. Borges de Sousa, pela confiança e incentivo.

À Ana Cristina Dias, pela amizade e ajuda ao longo da feitura deste livro.

ÍNDICE

1 ALIMENTAÇÃO

1.1. ESPAÇOS E REFEIÇÕES

PORTUGUÊS	ENGLISH	ESPAÑOL	DEUTSCH	FRANÇAIS
Refeições:	**Meals:**	**Comidas:**	**Mahlzeiten:**	**Repas:**
pequeno-almoço, s.m.	breakfast	desayuno	Frühstück	petit-déjeuner
tomar, v.tr. (o pequeno--almoço)	to have breakfast	desayunar	frühstücken	prendre le petit-déjeuner
almoço, s.m.	lunch	almuerzo	Mittagessen	déjeuner
almoçar, v.tr.	to have lunch	almorzar	mittagessen	déjeuner
lanche, s.m.	snack	merienda	Snack, (nachmittagliche) Zwischenmahlzeit	goûter
lanchar, v.tr.	to have a snack	merendar	Snack/Zwischenmahlzeit einnehmen	goûter
jantar, s.m. e v.tr.	dinner, to have dinner	cena	Abendessen, zu Abend Essen	dîner
Espaços:	**Places:**	**Espacios:**	**Räumlichkeiten:**	**Espaces:**
bar, s.m.	bar	bar	Bar	bar
cafetaria, s.f.	coffee shop	cafetería	Cafeteria	cafétéria
cantina, s.f.	canteen	cantina	Kantine	cantine
cervejaria, s.f.	bar-restaurant	cervecería	Gastwirtschaft	brasserie
confeitaria, s.f.	confectionery shop, patisserie	confitería	Konditorei	confiserie
gelataria, s.f.	ice cream parlour	heladería	Eisdiele	glacier
marisqueira, s.f.	seafood restaurant	marisquería	Schaltierrestaurant	restaurant fruits de mer
pastelaria, s.f.	pastry shop	pastelería	Konditorei	pâtisserie
pizaria, s.f.	pizzeria	pizzería	Pizzeria	pizzeria
refeitório, s.m.	refectory, dining hall	comedor	Speisesaal	réfectoire
restaurante, s.m.	restaurant	restaurante	Restaurant	restaurant
salão de chá, s.m.	tearoom	salón de té	Teestube	salon de thé
snack-bar, s.m.	snack-bar	bar	Snack-Bar	snack-bar
tasca, s.f.	tavern	tasca	Schänke, Kneipe	bistrot

1.2. RESTAURANTE

PORTUGUÊS	ENGLISH	ESPAÑOL	DEUTSCH	FRANÇAIS
Ementa:	**Menu:**	**Menú:**	**Speisekarte:**	**Menu:**
Sopas:	**Soups:**	**Sopas:**	**Suppen:**	**Soupes:**
caldo-verde, s.m.	potato and kale soup	caldo verde	Grünkohlsuppe	soupe aux choux
canja, s.f.	chicken broth	caldo de gallina	Hühnersuppe	bouillon de poulet
sopa, s.f.	soup	sopa	Suppe	soupe
- de agrião, s.m.	- watercress	- de berros	- Kresse-	- cressons
- de alho-francês, s.m.	- leek	- de puerro	- Lauch-	- poireaux
- de cenoura, s.f.	- carrot	- de zanahoria	- Karotten-	- aux carottes

PORTUGUÊS	ENGLISH	ESPAÑOL	DEUTSCH	FRANÇAIS
- de feijão encarnado e couve-lombarda, s.f.	- red bean and cabbage	- de judías rojas e col lombarda	- Rote-Bohnen-Suppe mit Wirsing	- aux haricots rouges et au chou de Savoie
- de feijão-verde, s.m.	- green bean	- de judías verdes	- Grüne-Bohnen-Suppe	- haricots verts
- de legumes, s.m.pl.	- vegetable	- de verduras	- Gemüsesuppe	- aux légumes
- de peixe, s.m.	- fish	- de pescado	- Fischsuppe	- au poisson
Entradas:	**Starters:**	**Entradas:**	**Vorspeisen:**	**Entrées:**
azeitonas, s.f.pl.	olives	aceitunas	Oliven	olives
caracóis, s.m.pl.	snails	caracoles	Schnecken	escargots
carnes frias, s.f.pl.	cold meats	fiambres	Aufschnitt	viandes froides
chouriço, s.m.	chorizo	chorizo	Chorizo	chorizo
gambas, s.f.pl.	prawns	gambas	Garnelen	gambas
presunto, s.m.	cured ham	jamón	Räucherschinken	jambon fumé
queijo, s.m.	cheese	queso	Käse	fromage
Peixe:	**Fish:**	**Pescado:**	**Fisch/Fischgerichte:**	**Poisson:**
atum, s.m.	tuna	atún	Thunfisch	thon
bacalhau, s.m.	cod	bacalao	Kabeljau (frisch)/ Klippfisch (getrocknet)	morue
carapau, s.m.	mackerel	jurel	Bastardmakrele, Stöcker	chinchard
cherne, s.m.	grouper	mero	Atlantischer Wrackbarsch	cernier
dourada, s.f.	sea bream	dorada	Goldbrasse	dorade
linguado, s.m.	sole	lenguado	Seezunge	sole
lula, s.f.	squid	calamar	Tintenfisch	calmar
pargo, s.m.	snapper	besugo	Sackbrasse	pagre
pescada, s.f.	hake	merluza	Seehecht	colin
polvo, s.m.	octopus	pulpo	Krake	poulpe
robalo, s.m.	sea bass	robalo	Seebarsch	bar
sardinha, s.f.	sardine	sardina	Sardine	sardine
truta, s.f.	trout	trucha	Forelle	truite
Preparação:	**Preparation:**	**Preparación:**	**Zubereitung:**	**Préparation:**
assado, adj. e s.m.	roast	asado	gebraten	rôti
cozido, adj. e s.m.	boiled	cocido	gekocht	cuit à l'eau
estufado, adj. e s.m.	stewed	estofado	geschmort	étuvé
frito, adj. e s.m.	fried	frito	gebraten, frittiert	frit
gratinado, adj. e s.m.	gratineed	gratinado	überbacken, gratiniert	gratiné
grelhado, adj. e s.m.	grilled	a la parrilla	gegrillt	grillé
no forno, s.m.	baked	en el horno	im Ofen	au four
salteado, adj. e s.m.	sautéed	salteado	sautiert	sauté
Marisco:	**Seafood:**	**Marisco:**	**Meeresfrüchte:**	**Fruits de mer:**
amêijoa, s.f.	clam	almeja	Venusmuscheln	palourde
camarão, s.m.	shrimp	gamba	Garnele	crevettes
caranguejo, s.m.	crab	cangrejo	Krebs	crabe

PORTUGUÊS	ENGLISH	ESPAÑOL	DEUTSCH	FRANÇAIS
lagosta, s.f.	crawfish	langosta	Languste	langouste
lagostim, s.m.	crayfish	cigala	Flusskrebs	langoustines
lavagante, s.m.	lobster	bogavante	Hummer	homard
mexilhão, s.m.	mussel	mejillón	Miesmuschel	moules
ostra, s.f.	oyster	ostra	Auster	huitres
santola, s.f.	spider crab	centolla	Seespinne	araignée de mer
sapateira, s.f.	edible crab	buey de mar	Taschenkrebs	tourteau
Carne:	**Meat:**	**Carne:**	**Fleisch:**	**Viande:**
bife, s.m.	steak	filete	Steak	steak
borrego, s.m.	lamb	borrego	Lamm-	agneau
cabrito, s.m.	kid	cabrito	Kitz-	chevreau
coelho, s.m.	rabbit	conejo	Kaninchen	lapin
costeleta, s.f.	chop	chuleta	Kotelett	côtelette
entrecosto, s.m.	spare ribs	entrecot	Rippchen	travers de porc
espetada, s.f.	kebab	brocheta	Spieß	brochette
fígado, s.m.	liver	hígado	Leber	foie
leitão, s.m.	suckling pig	lechón	Spanferkel	cochon de lait
língua, s.f.	tongue	lengua	Zunge	langue
lombo, s.m. (de porco/ de vitela)	loin (of pork/veal)	lomo (de cerdo/de ternera)	Lende	filet (de porc/de veau)
perna, s.f. (de borrego/ de cabrito/de carneiro)	leg (of lamb/kid/mutton)	pierna (de borrego/ de cabrito/de carnero)	Keule (Lamm-/Kitz-/ Hammelkeule)	gigot (d'agneau/ de chevreau/de bélier)
porco, s.m.	pork	cerdo	Schweine-	porc
rim, s.m.	kidney	riñón	Niere	rognons
salsicha, s.f.	sausage	salchicha	Würstchen	saucisse
vaca, s.f.	beef	vaca	Rind-	bœuf
vitela, s.f.	veal	ternera	Kalbfleisch	veau
Aves:	**Poultry:**	**Aves:**	**Geflügel:**	**Volaille:**
frango, s.m.	chicken	pollo	Hähnchen	poulet
galinha, s.f.	hen	gallina	Huhn	poule
pato, s.m.	duck	pato	Ente	canard
perdiz, s.f.	partridge	perdiz	Wachtel	perdrix
peru, s.m.	turkey	pavo	Pute, Truthahn	dinde
Guarnição:	**Accompaniments:**	**Guarnición:**	**Beilage:**	**Garniture:**
arroz, s.m.	rice	arroz	Reis	riz
batata, s.f.	potato	patata	Kartoffeln	pommes de terre
massa, s.f.	pasta	pasta	Nudeln	pâte
ovo, s.m.	egg	huevo	Ei	œufs
- escalfado, adj.	- poached	- escalfado	- pochiertes	- pochés
- estrelado, adj.	- fried	- frito	- Spiegel	- au plat
- cozido, adj.	- boiled	- cocido	- gekochtes	- à la coque

PORTUGUÊS	ENGLISH	ESPAÑOL	DEUTSCH	FRANÇAIS
- mexido, *adj.*	- scrambled	- revuelto	- Rühr	- brouillés
puré, *s.m.*	pureed potato	puré	Püree, Brei	purée
Legumes:	**Vegetables:**	**Verduras:**	**Gemüse:**	**Légumes:**
alface, *s.f.*	lettuce	lechuga	Kopfsalat	laitue
beringela, *s.f.*	aubergine	berenjena	Aubergine	aubergine
brócolos, *s.m.pl.*	broccoli	brócolis	Brokkoli	brocolis
cenoura, *s.f.*	carrot	zanahoria	Karotten	carotte
cogumelos, *s.m.pl.*	mushroom	champiñón	Pilze	champignon
couve, *s.f.*	cabbage	col	kohl	chou
- coração, *s.m.*	- green cabbage	- cogollo	- Wirsing	- cœur
- -de-bruxelas, *s.f.*	- brussels sprouts	- de Bruselas	- Rosen-	- de Bruxelles
- galega, *s.f.*	- collard greens	- berza gallega	- Grünkohl	- galicien
couve-flor, *s.f.*	cauliflower	coliflor	Blumenkohl	chou-fleur
ervilhas, *s.f.pl.*	peas	guisante	Erbsen	petits poids
espargos, *s.m.pl.*	asparagus	espárrago	Spargel	asperge
esparregado, *s.m.*	spinach or turnip leaf purée	puré de espinacas	Rahmspinat	purée aux épinards
espinafres, *s.m.pl.*	spinach	espinaca	Blattspinat	épinards
feijão, *s.m.*	beans	judia	Bohnen	haricots
- branco	- white	- blanca	- weiße	- blancs
- encarnado	- red beans	- roja	- rote	- rouges
- -frade	- blackeyed peas	- de carilla	- Mönch	- niébés
- preto	- black	- negra	- schwarze	- noirs
- -verde	- green	- verde	- grüne	- verts
nabo, *s.m.*	turnip	nabo	Rüben	navet
Sobremesa:	**Dessert:**	**Postre:**	**Nachspeise/Dessert:**	**Dessert:**
arroz-doce, *s.m.*	rice pudding	arroz con leche	Milchreis	riz au lait
bolo, *s.m.*	cake	pastel	Kuchen	gâteau
- de amêndoa, *s.f.*	- almond	- de almendras	- Mandel-	- aux amandes
- de chocolate, *s.m.*	- chocolate	- de chocolate	- Schokoladen-	- au chocolat
- de coco, *s.m.*	- coconut	- de coco	- Kokos-	- à la noix de coco
- de laranja, *s.f.*	- orange	- de naranja	- Orangenkuchen	- aux oranges
- de noz, *s.f.*	- walnut	- de nueces	- Nuss-	- aux noix
crepe, *s.m.*	pancake	crepe	Crêpe, Eierkuchen, Pfannkuchen	crêpe
gelado, *s.m.*	ice cream	helado	Eis	glace
gelatina, *s.f.*	jelly	gelatina	Götterspeise	gélatine
iogurte, *s.m.*	yoghurt	yogurt	Joghurt	yaourt
leite-creme, *s.m.*	egg custard	natillas	Crème brulé, karamellisierte Milcheiercreme	crème brûlée
maçã assada, *s.f.*	baked apple	manzana asada	Bratapfel	pomme au four
mousse de chocolate, *s.f.*	chocolate mousse	mousse de chocolate	Mousse au Chocolat	mousse au chocolat

PORTUGUÊS	ENGLISH	ESPAÑOL	DEUTSCH	FRANÇAIS
pão de ló, s.m.	sponge cake	bizcocho	Biskuitkuchen	gâteau mousseline
pera cozida, s.f. (com vinho tinto)	poached pear in red wine	peras al vino	(in Rotwein) gekochte Birne	poire cuite au vin rouge
pudim, s.m.	crème caramel	flan	Flan	pudding
salada de frutas, s.f.	fruit salad	ensalada de frutas	Obstsalat	salade de fruits
semifrio, s.m.	semifreddo, chilled dessert	semifrío	Semifreddo, Halbgefrorenes	parfait
Fruta:	**Fruit:**	**Fruta:**	**Obst:**	**Fruits:**
ananás, s.m.	pineapple	piña	Ananas	ananas
banana, s.f.	banana	plátano	Banane	banane
cereja, s.f.	cherry	cereza	Kirsche	cerise
damasco, s.m.	apricot	albaricoque	Aprikose	abricot
figo, s.m.	fig	higo	Feige	figue
framboesa, s.f.	raspberry	frambuesa	Himbeere	framboise
laranja, s.f.	orange	naranja	Orange	orange
maçã, s.f.	apple	manzana	Apfel	pomme
manga, s.f.	mango	mango	Mango	mangue
melancia, s.f.	watermelon	sandía	Wassermelone	pastèque
melão, s.m.	melon	melón	Melone	melon
morango, s.m.	strawberry	fresa	Erdbeere	fraise
papaia, s.f.	papaya	papaya	Papaya	papaye
pera, s.f.	pear	pera	Birne	poire
pêssego, s.m.	peach	melocotón	Pfirsich	pêche
tâmara, s.f.	date	dátil	Datteln	datte
uva, s.f.	grape	uva	Trauben	raisin
Bebidas:	**Drinks:**	**Bebidas:**	**Getränke:**	**Boissons:**
água, s.f.	water	agua	Wasser	eau
- com gás	- fizzy	- con gas	- mit	- gazeuse
- mineral	- mineral	- mineral	- Mineralwasser	- minérale
- sem gás	- still	- sin gas	- ohne Kohlensäure	- plate
aperitivo, s.m.	aperitif	aperitivo	Aperitif	apéritif
cerveja, s.f.	beer	cerveza	Bier	bière
- imperial	- small draught beer	- tubo o tanque	- kleines Glas Fassbier	- pression
- preta	- black	- negra	- Schwarzbier	- brune
- sem álcool	- alcohol-free	- sin alcohol	- alkoholfreies Bier	- sans alcool
digestivo, s.m.	digestif	digestivo	Digestif	digestif
licor, s.m.	liqueur	licor	Likör	liqueur
sumo, s.m.	juice	zumo	Saft	jus
- de cenoura, s.f.	- carrot	- de zanahoria	- Karottensaft	- de carotte
- de laranja, s.f.	- orange	- de naranja	- Orangen-	- d'orange
- de maçã, s.f.	- apple	- de manzana	- Apfel-	- de pommes

PORTUGUÊS	ENGLISH	ESPAÑOL	DEUTSCH	FRANÇAIS
- de manga, s.f.	- mango	- de mango	- Mango-	- de mangue
vinho, s.m.	wine	vino	Wein	vin
- branco	- white	- blanco	- Weißwein	- blanc
- rosé	- rosé wine	- rosado	- Rosé	- rosé
- tinto	- red	- tinto	- Rot-	- rouge
- verde	- green wine	- verde	- grüner Wein	- vert

1.3. PASTELARIA

PORTUGUÊS	ENGLISH	ESPAÑOL	DEUTSCH	FRANÇAIS
sandes, s.f.	sandwich	montadito	Sandwich	sandwich
- de carne assada, s.f.	- roast pork	- de carne asada	- mit Bratenfleisch	- à la viande rôtie
- de fiambre, s.m.	- ham	- de jamón york	- gekochtem Schinken	- au jambon
- de presunto, s.m.	- cured ham	- de jamón	- Räucherschinken	- jambon fumé
- de queijo, s.m.	- cheese	- de queso	- Käse	- au fromage
- mista, adj.	- ham and cheese	- mixto	- gekochtem Schinken und Käse	- mixte
torrada, s.f.	toast	tostada	getoastetes Weißbrot mit Butter	tartine
tosta, s.f.	toasted sandwich	sándwich caliente	getoasteter Sandwich	croque monsieur
Bebidas:	**Drinks:**	**Bebidas:**	**Getränke:**	**Boissons:**
abatanado, s.m.	similar to a cappuccino	café expreso en taza grande	gestreckter Espresso	café
café, s.m. (com cheirinho)	coffee with a measure of alcohol	carajillo	Kaffee/Espresso mit Schuss	café avec une goutte d'eau de vie
café duplo, s.m.	double espresso in a larger cup	café doble	doppelter Espresso	café double
café pingado, s.m./bica pingada, s.f.*	espresso with a dash of milk	cortado	Espresso mit etwas Milch/ Espresso macchiato	café expresso avec une goutte de lait
café, s.m./bica, s.f.*	espresso	café sólo en taza pequeña	Espresso/kleiner Espresso	café/expresso
café, s.m. (cheio/curto)	espresso (espresso made with more water, lungo/ espresso made with less water, ristretto)	café sólo en taza pequeña (diluido/fuerte)	Espresso (mit mehr Wasser /mit wenig Wasser)	café (plein/court)
carioca, s.m.	small weak black coffee	café americano	Verdünnter Espresso	café léger
chá, s.m. (preto/verde)	tea (Indian/green)	té (negro/verde)	Tee (schwarzer/grüner)	thé (noir/vert)
descafeinado, s.m.	decaffeinated	descafeinado	koffeinfreier Kaffee	décaféiné
galão, s.m.	a latte served in a tall glass	café con leche en vaso largo	Latte macchiato	verre de lait avec un peu de café
garoto, s.m.	espresso with a dash of frothy milk	café con leche en taza pequeña	Espresso mit Milchschaum	café avec un peu de lait
meia de leite, s.f.	white coffee served in a teacup	café con leche en taza mediana	Tasse Kaffee mit Milch	tasse de lait avec un peu de café

* designação usada na região de Lisboa.

1.4. COMPRAS

1.4.1. Supermercado

PORTUGUÊS	ENGLISH	ESPAÑOL	DEUTSCH	FRANÇAIS
açúcar, s.m.	sugar	azúcar	Zucker	sucre
- amarelo, adj.	- yellow	- moreno	- gelber	- roux
- branco, adj.	- white	- blanco	- Weißzucker	- blanc
- mascavado, adj.	- soft brown sugar	- mascabado	- brauner Zucker	- brun
adoçante, s.m.	sweetener	edulcorante	Süßstoff	édulcorant
alho, s.m.	garlic	ajo	Knoblauch	ail
arroz, s.m.	rice	arroz	Reis	riz
azeite, s.m.	olive oil	aceite de oliva	Olivenöl	huile d'olive
biscoito, s.m.	scone, teacake	pasta	Gebäck, Plätzchen	biscuit
bolacha, s.f.	biscuit	galleta	Keks	galette
bombom, s.m.	bonbon	bombón	Praline	bonbon
cacau, s.m.	cocoa	cacao	Kakao	cacao
cebola, s.f.	onion	cebolla	Zwiebel	oignon
cereais, s.m.pl.	cereals	cereales	Getreide, Müsli	céréales
chocolate, s.m.	chocolate	chocolate	Schokolade	chocolat
compota, s.f.	jam	compota	Konfitüre	compote
conserva, s.f.	canned goods	conserva	Konserve	conserve
farinha, s.f.	flour	harina	Mehl	farine
marmelada, s.f.	marmalade	membrillo	Quittenmarmelade	marmelade
mel, s.m.	honey	miel	Honig	miel
óleo, s.m.	oil	aceite (excepto oliva)	Öl	huile
pastilha elástica, s.f.	chewing gum	chicle	Kaugummi	chewing-gum
patê, s.m.	pâté	paté	Pastete	pâté
rebuçado, s.m.	wrapped sweet, candy	caramelo	Bombom	bonbon
sal, s.m.	salt	sal	Salz	sel
vinagre, s.m.	vinegar	vinagre	Essig	vinaigre
Ervas aromáticas:	**Herbs:**	**Hierbas aromáticas:**	**Kräuter:**	**Herbes aromatiques:**
coentros, s.m.pl.	coriander	cilantro o culantro	Koriander	coriandre
hortelã-pimenta, s.f.	peppermint	menta	Pfefferminze	mente
malagueta, s.f.	chilli	guindilla	roter Pfeffer	piment
manjericão, s.m.	basil	albahaca	Basilikum	basilic
orégãos, s.m.pl.	oregano	orégano	Oregano	origan
salsa, s.f.	salsa	perejil	Petersilie	persil
Especiarias:	**Spices:**	**Especias:**	**Gewürze:**	**Épices:**
caril, s.m.	curry	curry	Curry	curry
colorau, s.m.	paprika	pimentón	Paprika	paprika

PORTUGUÊS	ENGLISH	ESPAÑOL	DEUTSCH	FRANÇAIS
cominho, s.m.	cumin	comino	Kümmel	cumin
cravinho, s.m.	cloves	clavo	Nelken	clous de girofle
noz-moscada, s.f.	nutmeg	nuez moscada	Muskatnuss	noix de muscade
pimenta, s.f.	pepper	pimienta	Pfeffer	poivre
piripíri, s.m.	piri-piri	guindillas maceradas en aceite enteras o trituradas	Scharfe Chilis, Piri Piri	piripiri
Laticínios:	**Dairy products:**	**Lácteos:**	**Milchwaren:**	**Produits laitiers:**
iogurte, s.m. (líquido/ pedaços/natural)	yoghurt (liquid/with fruit/ natural)	yogurt (líquido/trozos/ natural)	Joghurt (Trinkjoghurt/ mit Fruchtstückchen/ Naturjoghurt)	yaourt (à boire/morceaux/ nature)
leite, s.m.	milk	leche	Milch	lait
- achocolatado, adj.	- chocolate	- con chocolate	- Schokomilch	- au chocolat
- condensado, adj.	- condensed	- condensada	- gezuckerte Kondens-	- condensé
- de soja, s.f.	- soy	- de soja	- Soja-	- de soja
- em pó, s.m.	- powdered	- en polvo	- Milchpulver	- en poudre
- gordo, adj.	- full fat	- entera	- Vollmilch	- entier
- magro, adj.	- skimmed	- desnatada	- Mager-	- écrémé
- meio-gordo, adj.	- semi-skimmed	- semidesnatada	- Halbfett-	- demi-écrémé
manteiga, s.f.	butter	mantequilla	Butter	beurre
margarina, s.f.	margarine	margarina	Margarine	margarine
nata, s.f.	cream	nata	Sahne	crème fraîche
ovo, s.m.	egg	huevo	Ei	œuf
queijo, s.m.	cheese	queso	Käse	fromage
- amanteigado, adj.	- buttery	- mantecoso	- Weichkäse	- moelleux
- flamengo, adj.	- Edam-style	- de bola	- Schnitt-	- flamand
- fresco, adj.	- cottage	- fresco	- Frischkäse	- frais
- requeijão, s.m.	- curd	- requesón	- Ricotta-artiger Frischkäse	- caillebotte

1. COMPLETE O DIÁLOGO COM AS PALAVRAS DO QUADRO.

pãezinhos		avó		cozidas		leite
	cozido		bolas		carcaças	

Na padaria:

— Bom dia, D. Mariana, como tem passado?

— Vai-se andando, como Deus quer.

— Então, faça o favor de dizer.

— Queria quatro _____ e três _____ da _____ para a minha vizinha.

— Bem ou mal _____?

— Prefiro o pão mal _____.

— Eu cá também prefiro o pão assim.

— Também eu. Ora cá estão. É tudo?

— Queria levar também dois _____ de _____ para o meu lanche.

— Ora cá estão eles.

— Quanto é tudo?

— Dois euros e oitenta cêntimos.

— Aqui está o seu troco. E obrigada.

— Adeus, até amanhã.

2. IDENTIFIQUE SETE ESPAÇOS DE REFEIÇÃO NA SEGUINTE GRELHA.

C	A	F	E	T	A	R	I	A
A	X	C	B	A	R	E	O	P
N	Z	B	J	S	L	F	N	G
T	P	A	Q	C	R	E	S	E
I	J	R	L	A	M	I	N	L
N	O	P	Q	R	S	T	U	A
A	V	C	X	E	F	O	G	T
H	I	A	J	X	R	R	H	A
B	P	I	Z	A	R	I	A	R
X	H	E	G	Z	I	O	R	I
B	A	R	E	T	A	R	I	A

3. COMPLETE AS PALAVRAS COM AS LETRAS EM FALTA E ENCONTRE FORMAS DE PREPARAÇÃO DE PEIXE.

a. E____TU____A ____O

b. G____E____ ____A____O

c. F____I____O

d. ____OZI____O

e. A____S____ ____O

f. G____A____INA____O

4. COMPLETE O DIÁLOGO COM AS PALAVRAS DO QUADRO.

refeição		lanche (2x)		apetite		torradas
	faca		garfo		jantamos	
jantam		almoçam		tosta		lanchar

Duas amigas encontram-se no Rossio, por volta das cinco da tarde.

— Hannah, por aqui? Tudo bem?

— Tudo bem!

— Pensei que já não estavas em Portugal!

— Decidi ficar mais uma semana de férias! Gosto tanto de Portugal! O clima, as pessoas, a comida...

— Falando nisso, vamos _____?

— A esta hora?

— Sim, é a hora do _____. Cinco, seis. Espera aí, o nosso _____ não é o *lunch* inglês! É uma pequena _____, a meio da tarde.

— E o que costumam comer?

— Pode ser um sumo e uma _____ ou um chá e umas _____, por exemplo.

— E a que horas _____?

— Normalmente, entre as 20 horas e as 21 horas.

— Ah, pois. No meu país _____ às 6 horas! E a que horas _____? Vi pessoas a almoçar às 3 da tarde, e como vocês aqui dizem: de _____ e _____!

— Bem, a conversa está a abrir-me o _____

— Vamos lanchar?

— Vamos!

5. O QUE É?

a. Café com leite num copo: _____

b. Café com leite numa chávena pequena: _____

c. Café com dois ou três pingos de leite: _____

d. Café com leite numa chávena: _____

6. ELABORE UMA LISTA DE SUPERMERCADO COM, PELO MENOS, SETE PRODUTOS ALIMENTARES.

a. _____   f. _____

b. _____   g. _____

c. _____   h. _____

d. _____   i. _____

e. _____   j. _____

7. COMPLETE O DIÁLOGO COM AS PALAVRAS DO QUADRO.

legumes	camelo	carne (2x)		cenoura
	porco	grelhado	verde	
dourada	baba	arroz		acompanhamento
	cozidos	cheirinho	brócolos	
fresquinho	espinafres	arroz-doce		dose (2x)
	polvo	conta	brasa	
bacalhau				

No restaurante:

— Boa noite.

— Boa noite.

— Façam o favor de dizer.

— Queres sopa?

— Quero. Quero uma de _____.

— Eu cá não me apetece.

— Muito bem, é uma sopinha. E que mais vai ser?

— E se comêssemos uma_____ de _____ de _____ à alentejana?

— Não me apetece comer _____ agora à noite. Queria uma coisa mais levezinha.

— O bacalhau _____ na _____ está muito bom.

— O _____ também é muito pesado. Queria uma _____ grelhada. Qual é o _____?

— Batatas cozidas com _____ cozidos.

— Que legumes é que tem?

— Brócolos, espinafres e feijão-verde.

— Então, queria com _____ e _____ _____.

— E, para o senhor?

— Queria uma _____ de _____ de _____.

— Muito bem. E para beber?

— Apetece-te um vinho _____?

— Sim, sim.

— Uma garrafa de 75 cl., para começar?

— Sim, e bem _____!

....

Algum tempo depois...

— Vão desejar sobremesa?

— Eu queria uma _____ de _____.

— Eu queria um _____.

— Cá estão elas. Cafés, vão desejar?

— Eu não. Se bebo a esta hora, não durmo de certeza.

— Eu queria um café com _____.

— Mais alguma coisa?

— Não, é tudo. Trazia-me a _____, por favor?

— Com certeza.

— Boa noite e obrigada.

8. DESCUBRA COM QUAL DAS PALAVRAS NÃO PODEMOS UTILIZAR O ADJETIVO INDICADO.

a. salgado(a/os/as)

☐ arroz   ☐ tasca   ☐ puré   ☐ sopa   ☐ azeitonas   ☐ rissóis   ☐ batatas

b. doce(s)

☐ rebuçado   ☐ gelado   ☐ pastilha elástica   ☐ mel   ☐ gelataria   ☐ bolo   ☐ maçã

c. insonso(a/os/as)

☐ sopa   ☐ caracóis   ☐ gelado   ☐ chouriço   ☐ bife   ☐ piripíri   ☐ puré

d. saboroso(a/os/as)

☐ canja   ☐ gambas   ☐ gratinado   ☐ vinagre   ☐ peixe   ☐ cogumelos   ☐ ovos

2 ALOJAMENTO

2.1. TIPOS DE ALOJAMENTO

PORTUGUÊS	ENGLISH	ESPAÑOL	DEUTSCH	FRANÇAIS
agroturismo, s.m.	agritourism	turismo rural	Agrartourismus	agrotourisme
albergue, s.m.	hostel	albergue	Herberge	auberge
aldeamento, s.m.	holiday village	complejo turístico	Feriendorf	village touristique
aparthotel, s.m.	aparthotel	apartotel	Aparthotel	appart hôtel
bangalô, s.m.	bungalow, cottage	bungaló	Bungalow	bungalow
casa de hóspedes, s.f.	guest house	casa de huéspedes	Gästehaus	maison d'hôtes
chalé, s.m.	chalet	chalé	Villa, Chalet	chalet
estalagem, s.f.	inn	hospedería	Gasthaus, Gasthof	gîte
hostal, s.m.	hostel, simple hotel	hostal	Pension	hostal
hotel de charme, s.m.	boutique hotel	hotel con encanto	Charme-Hotel	hôtel de charme
hotel, s.m. (de três/quatro/cinco estrelas)	hotel (three-/four-/five-star)	hotel (de tres/cuatro/cinco estrellas)	Hotel (drei Sterne/vier/fünf)	hôtel (de trois/quatre/cinq étoiles)
motel, s.m.	motel	motel	Motel	motel
pensão, s.f.	pension	pensión	Pension	pension
pousada, s.f. (de juventude)	inn, historic hotel (youth hostel)	albergue juvenil	Jugendherberge	auberge (de jeunesse)
residencial, s.f.	residential hotel	residencial	Pension Garni	pension de famille
resort hotel, s.m.	resort hotel	resort hotel	Resort Hotel	resorthotel
termas, s.f.pl.	spa	balnearios	Kurhaus, Therme	thermes
turismo rural, s.m.	rural tourism, farm accommodation	turismo rural	Landtourismus	tourisme rural

2.2. NA RECEÇÃO

PORTUGUÊS	ENGLISH	ESPAÑOL	DEUTSCH	FRANÇAIS
bagageiro, s.m.	porter, bellhop	maletero	Gepäckträger	bagagiste
bagagem, s.f.	luggage	equipaje	Gepäck	bagage
cancelar, v.tr. (a reserva)	to cancel a reservation	cancelar la reserva	die Reservierung stornieren	annuler la réservation
chave, s.f.	key	llave	Schlüssel	clé
despertar, v.tr.	to wake	despertar	aufwecken, wecken	réveil
diária, s.f.	daily rate	diaria	Tagessatz	nuit
diretor, s.m.	hotel manager	director	Direktor	directeur
dormida, s.f.	night, night's stay	pernoctación	Übernachtung	nuitée
elevador, s.m.	lift	ascensor	Aufzug	ascenseur
empregada de quartos, s.f.	chambermaid	camarera de piso	Zimmermädchen	femme de chambre
época, s.f. (alta/baixa/média)	season (high/low/shoulder)	temporada (alta/baja/media)	Saison (Haupt-/Neben-/Mittelsaison)	saison (haute/baisse/moyenne)
escada, s.f.	stairs	escalera	Treppe	escalier
estadia, s.f.	stay	estancia	Aufenthalt	séjour

PORTUGUÊS	ENGLISH	ESPAÑOL	DEUTSCH	FRANÇAIS
gerente, s.m. e f.	manager	gerente	Geschäftsführer	gérant
hospedar, v.tr. e pro.	to accommodate, to stay	hospedar	unterbringen (trans. V.)/ untergebracht sein (intrans. V.)	héberger
hóspede, s.m. e f.	guest	huésped	Gast	hôte
lavandaria, s.f.	laundry	lavandería	Wäscherei	blanchisserie
limpar, v.tr. (a seco)	to dry clean	limpiar en seco	chemisch reinigen	nettoyer à sec
mala, s.f.	suitcase	maleta	Koffer	valise
meia-pensão, s.f.	half board	media pensión	[H/HP] Halbpension	demi-pension
pensão completa, s.f.	full board	pensión completa	[V/VP] Vollpension	pension complète
pernoitar, v.tr.	to stay the night	pernoctar	übernachten	séjourner
porteiro, s.m.	porter	portero	Portier, Concierge	concierge
rececionista, s.m. e f.	receptionist	recepcionista	Rezeptionist(in), Empfang	réceptionniste
reserva, s.f.	reservation	reserva	Reservierung	réservation
reservar, v.tr.	to reserve	reservar	buchen, reservieren	réserver
sala de jantar, s.f.	dining room	comedor	Speisesaal	salle à manger
serviço de despertar, s.m.	wake-up service	servicio de despertador	Weckdienst	service réveil
serviço de quartos, s.m.	room service	servicio de habitaciones	Zimmerservice	service de chambres

2.3. NO QUARTO

PORTUGUÊS	ENGLISH	ESPAÑOL	DEUTSCH	FRANÇAIS
água, s.f. (quente/fria)	water (hot/cold)	agua (caliente/fría)	(warmes/kaltes) Wasser	eau (chaude/froide/ moyenne)
beliche, s.m.	bunk beds	cuna	Stockbett	lits superposés
cama, s.f. (de casal/ de criança/suplementar)	bed (double/child's/extra)	cama (de matrimonio/ de niño/extra)	Bett (Doppel-/Kinder-/ Zustellbett)	lit (de couple/d'enfant/ supplémentaire)
cobertor, s.m.	blanket	cobertor	Bettdecke	couverture
lençol, s.m.	sheet	sábana	Betttuch	drap
quarto, s.m. (individual/ duplo)	room (single/double)	habitación (individual/ doble)	Zimmer (Einzel-/ Doppelzimmer)	chambre (simple/double)
rádio, s.m.	radio	radio	Radio	radio
roupa de cama, s.f.	bed linen	ropa de cama	Bettwäsche	linge de lit
toalha, s.f.	towel	toalla	Handtuch	serviette
ventoinha, s.f.	fan	ventilador	Ventilator	ventilateur

2.4. CAMPISMO

PORTUGUÊS	ENGLISH	ESPAÑOL	DEUTSCH	FRANÇAIS
acampar, v.tr.	to camp	acampar	zelten, campen	camper
bússola, s.f.	compass	brújula	Kompass	boussole

PORTUGUÊS	ENGLISH	ESPAÑOL	DEUTSCH	FRANÇAIS
campista, s.m., f. e adj.	camper	campista	Camper(in)	campeur
candeeiro a gás, s.m.	gas lamp	camping gas	Gaslampe	lampe à gaz
cantil, s.m.	water bottle	cantimplora	Feldflasche, Trinkflasche	gourde
caravana, s.f.	caravan	caravana	Wohnwagen	caravane
colchão de ar, s.m.	airbed	colchón hinchable	Luftmatratze	matelas d'air
fogão de campismo, s.m.	camping stove	cocina de camping	Campingkocher	cuisinière de camping
fogareiro, s.m.	portable gas stove	hornillo	Campinggrill	réchaud
lanterna, s.f.	torch	linterna	Taschenlampe	lanterne
mochila, s.f.	rucksack	mochila	Rucksack	sac à dos
rede de dormir, s.f.	hammock	hamaca	Hängematte	hamac
saco-cama, s.m.	sleeping bag	saco de dormir	Schlafsack	sac de couchage
tenda, s.f.	tent	tienda	Zelt	tente
toldo, s.m.	awning	toldo	Schutzplane	bâche

1. NUM HOTEL, ESCOLHA A OPÇÃO CORRETA PARA CADA PROFISSÃO.

A. A empregada de quartos

    a. ☐ serve à mesa.
    b. ☐ atende os telefones.
    c. ☐ limpa e arruma o quarto.

B. O rececionista

    a. ☐ limpa a receção.
    b. ☐ recebe os clientes.
    c. ☐ leva as bagagens para os quartos.

C. O porteiro

    a. ☐ abre a porta aos clientes.
    b. ☐ leva o pequeno-almoço aos quartos.
    c. ☐ faz as reservas.

2. DE ACORDO COM O TEXTO, ASSINALE QUAIS DAS SEGUINTES AFIRMAÇÕES SÃO VERDADEIRAS OU FALSAS.

A família Silva foi de férias para o Algarve. Ficaram num hotel em regime de meia-pensão num quarto com cama de casal e uma cama suplementar para o filho de 7 anos.

Fizeram a reserva *on-line*, mas quando lá chegaram, não havia nenhuma marcação em nome da família Silva. Porém, no mesmo hotel, conseguiram um quarto ainda mais barato. Ficaram a 20 minutos da praia, mas o hotel tinha piscina, divertiram-se muito e fizeram novos amigos.

	V	F
a. A família Silva está de férias.		
b. Ficaram num hotel com pensão completa.		
c. Ficaram num quarto duplo.		
d. O filho dormiu na cama dos pais.		
e. A família Silva fez reserva pela *internet*.		
f. O hotel ficava longe da praia.		
g. A família divertiu-se muito na praia.		

3. COMPLETE COM AS CONSOANTES EM FALTA E ENCONTRE LOCAIS ONDE SE PODE HOSPEDAR.

a. ___E___ ___ÃO
b. ___O U___A___A
c. ___E___ ___A___
d. ___E___I___E___ ___IA___
e. E___ ___A___A___E___
f. ___U___I___ ___O ___U___A___
g. A___ ___O___U___I___ ___O

4. RELACIONE CADA VERBO COM UMA DAS PALAVRAS DA COLUNA DA DIREITA.

1. reservar   a. as malas
2. chamar   b. um quarto
3. levar   c. um táxi
4. prestar   d. passeios turísticos
5. fazer   e. telefone
6. atender   f. *check-in*
7. recomendar   g. informações

5. COLOQUE AS PALAVRAS NA COLUNA ADEQUADA.

	tenda	beliche	cama	rede de dormir
saco-cama		toalha	chave	cobertor
	reservar	caravana	gerente	porteiro

QUARTO	RECEÇÃO	PARQUE DE CAMPISMO

6. COMPLETE O DIÁLOGO COM AS PALAVRAS DO QUADRO.

	piscina	despertar	duplo
confirmação	estadia	quarto	pequeno-almoço
	reserva (2x)	chave	serviço

Na receção de um hotel:

— Boa noite.

— Boa noite. Fizemos uma _____ para um _____ _____.

— A _____ foi feita há quanto tempo?

— Há um mês. Pela Internet.

— Ah! Aqui está a _____, feita em nome de Carlos Duarte, por uma semana.

— Exatamente. Têm _____ de _____?

— Com certeza. A que horas desejam ser acordados?

— Às oito.

— Muito bem.

— Até que horas podemos tomar o _____?

— O pequeno-almoço é servido entre as sete horas e as dez horas, na sala de jantar do rés do chão.

— O hotel tem _____ interior, não é verdade? Vi fotografias no vosso *site*.

— Sim, temos uma piscina interior que podem utilizar até às 20 horas.

— Que bom!

— Aqui têm a vossa _____ e desejo-vos uma ótima _____!

7. DESCUBRA O INTRUSO NAS SEGUINTES SÉRIES LÓGICAS.

a. caravana, tenda, saco-cama, loja

b. colchão, cobertor, cama, saco-cama

c. reserva, chave, rececionista, piscina

d. pousada, motel, hotel, hotelaria

e. termas, porteiro, residencial, albergue

f. mochila, tenda, lanterna, lâmpada

g. beliche, toalha, lençol, lenço

3 ANIMAIS

3.1. ANIMAIS DOMÉSTICOS

3.1.1. Na quinta

PORTUGUÊS	ENGLISH	ESPAÑOL	DEUTSCH	FRANÇAIS
bode, s.m.	billy-goat	macho cabrío	Ziegenbock	bouc
boi, s.m.	ox	buey	Stier	bœuf
borrego, s.m.	lamb	borrego	Lamm	agneau
burro, s.m.	donkey	burro	Esel	âne
cabra, s.f.	goat	cabra	Ziege	chèvre
cabrito, s.m.	kid	cabrito	Zicklein	chevreau
capoeira, s.f.	hen coop	gallinero	Hühnerstall	poulailler
cavalariça, s.f.	stable	caballerizas	Pferdestall	écurie
cavalo, s.m.	horse	caballo	Pferd	cheval
colmeia, s.f.	beehive	colmena	Bienenstock	ruche
cordeiro, s.m.	lamb	cordero	Lamm	agneau
coudelaria, s.f.	stud farm	criadero de caballos	Gestüt	écurie
curral, s.m.	corral, pen	corral	Stall	corral
égua, s.f.	mare	yegua	Stute	jument
enxame, s.m.	swarm (of bees)	enjambre	Bienenschwarm	essaim
gado, s.m.	cattle	ganado	Vieh	bétail
galinha, s.f.	hen	gallina	Henne	poule
galinheiro, s.m.	chicken pen	gallinero	Hühnerstall	poulailler
galo, s.m.	cockerel	gallo	Hahn	coq
ganso, s.m.	goose	ganso	Gans	oie
grilo, s.m.	cricket	grillo	Grille	criquet
leitão, s.m.	suckling pig	lechón	Ferkel	cochonnet
manada, s.f.	herd (of cattle)	manada	Herde	troupeau de vaches
mula, s.f.	mule	mula	Maultier	mulet
ninhada, s.f.	litter	camada	Wurf	couvée
ovelha, s.f.	sheep	oveja	Schaf	brebis
pato, s.m.	duck	pato	Ente	canard
pavão, s.m.	peacock	pavo real	Pfau	paon
peru, s.m.	turkey	pavo	Truthahn	dinde
pintainho, s.m.	chick	pollito	Küken	poussin
pinto, s.m.	young chicken	pollito	Küken	poussin
pombal, s.m.	dovecote	palomar	Taubenschlag	pigeonnier
pombo, s.m.	pigeon, dove	paloma	Taube	pigeon
pombo-correio, s.m.	carrier pigeon, homing pigeon	paloma mensajera	Brieftaube	pigeon voyageur

PORTUGUÊS	ENGLISH	ESPAÑOL	DEUTSCH	FRANÇAIS
porco, s.m.	pig	cerdo	Schwein	porc
potro, s.m.	foal	potro	Fohlen	poulain
rato, s.m.	rat	ratón	Maus	souris
rebanho, s.m.	flock, herd	rebaño	Herde (Schafe oder Ziegen)	troupeau (chèvres ou moutons)
vaca, s.f.	cow	vaca	Kuh	vache
vacaria, s.f.	cowshed	vaquería	Kuhstall	vacherie
vara, s.f.	herd (of pigs)	piara	Herde (Schweine)	troupeau de porcs
vitelo, s.m.	calf	ternera	Kalb	veau

3.1.2. Animais de estimação

PORTUGUÊS	ENGLISH	ESPAÑOL	DEUTSCH	FRANÇAIS
cachorro, s.m.	puppy	cachorro	Welpe	chiot
cão, s.m.	dog	perro	Hund	chien
coelho, s.m.	rabbit	conejo	Kaninchen	lapin
gato, s.m.	cat	gato	Katze	chat
pássaro, s.m.	any small bird	pájaro	Vogel	oiseau
peixe, s.m.	fish	pez	Fisch	poisson

3.2. ANIMAIS DE ESTIMAÇÃO EXÓTICOS

PORTUGUÊS	ENGLISH	ESPAÑOL	DEUTSCH	FRANÇAIS
arara, s.f.	macaw	guacamayo	Ara	ara
aranha, s.f.	spider	araña	Spinne	araignée
borboleta, s.f.	butterfly	mariposa	Schmetterling	papillon
camaleão, s.m.	chameleon	camaleón	Chamäleon	caméléon
cobra, s.f.	snake	serpiente/culebra	Schlange	serpent
escorpião, s.m.	scorpion	escorpión	Skorpion	scorpion
hámster, s.m.	hamster	hámster	Hamster	hamster
iguana, s.f.	iguana	iguana	Leguan	iguane
papagaio, s.f.	parrot	papagayo	Papagei	perroquet
pitão, s.f.	python	pitón	Python	piton
porco-da-índia, s.m.	guinea pig	conejillo de indias	Meerschweinchen	cochon d'Inde
porco-espinho, s.m.	porcupine	puerco espín	Stachelschwein	porc-épic
tarântula, s.f.	tarantula	tarántula	Tarantel	tarentule
tartaruga, s.f.	tortoise, terrapin	tortuga	Schildkröte	tortue

3.3. ANIMAIS SELVAGENS

PORTUGUÊS	ENGLISH	ESPAÑOL	DEUTSCH	FRANÇAIS
baleia, s.f.	whale	ballena	Wal	baleine
elefante, s.m.	elephant	elefante	Elefant	éléphant
girafa, s.f.	giraffe	jirafa	Giraffe	girafe
golfinho, s.m.	dolphin	delfín	Delphin	dauphin
gorila, s.m.	gorilla	gorila	Gorilla	gorille
javali, s.m.	wild boar	jabalí	Wildschwein	sanglier
leão, s.m.	lion	león	Löwe	lion
lince ibérico, s.m.	Iberian lynx	lince ibérico	Iberischer Luchs	lynx ibérique
lobo, s.m.	wolf	lobo	Wolf	loup
macaco, s.m.	monkey	mono	Affe	singe
orca, s.f.	killer whale	orca	Schwertwal; Orca	orque
raposa, s.f.	fox	zorro	Fuchs	renard
tigre, s.m.	tiger	tigre	Tiger	tigre
touro, s.m.	bull	toro	Stier	taureau
tubarão, s.m.	shark	tiburón	Hai	requin
urso, s.m.	bear	oso	Bär	ours
zebra, s.f.	zebra	cebra	Zebra	zébra

3.4. AVES

PORTUGUÊS	ENGLISH	ESPAÑOL	DEUTSCH	FRANÇAIS
açor, s.m.	goshawk	azor	Habicht	autour des palombes
águia, s.f.	eagle	águila	Adler	aigle
andorinha, s.f.	swallow	golondrina	Schwalbe	hirondelle
canário, s.m.	canary	canario	Kanarienvogel	canari
cegonha, s.f.	stork	cigüeña	Storch	cigogne
corvo, s.m.	crow	cuervo	Rabe	corbeau
falcão, s.m.	falcon	halcón	Falke	faucon
gaivota, s.f.	seagull	gaviota	Möwe	mouette
melro, s.m.	blackbird	mirlo	Amsel	merle
pardal, s.m.	sparrow	gorrión	Spatz	moineau
rouxinol, s.m.	nightingale	ruiseñor	Rotkehlchen	rossignol philomèle

1. COMPLETE AS PALAVRAS COM AS CONSOANTES EM FALTA E ENCONTRE NOMES DE ANIMAIS SELVAGENS.

a. ___O___I__A
b. ___A___EIA
c. E___E___A___ ___E
d. ___O___O
e. ___E___ ___A
f. ___I___ ___E
g. U__ ___O

2. COLOQUE AS PALAVRAS NA COLUNA ADEQUADA.

elefante	andorinha	gaivota	cão	
tigre	orca	galo		zebra
cegonha	baleia	gorila	golfinho	
cavalo	tubarão	águia		vaca

QUINTA	SELVA	AR	MAR

3. IDENTIFIQUE SEIS ANIMAIS DE ESTIMAÇÃO EXÓTICOS NA SEGUINTE GRELHA.

I	G	U	A	N	A	T	X	I
R	T	Z	Q	G	R	A	H	P
O	X	E	H	R	A	R	T	A
U	I	A	A	S	R	A	D	P
H	J	E	P	L	A	N	C	A
V	B	I	I	N	X	T	L	G
T	A	R	T	A	R	U	G	A
Z	X	O	A	U	V	L	R	I
A	S	D	O	Z	L	A	F	O

4. DESCUBRA O INTRUSO NAS SEGUINTES SÉRIES LÓGICAS.

a. abelha, formiga, arara, borboleta

b. cão, cadela, capoeira, canil

c. galo, galinha, gado, pintainho

d. cavalo, égua, equitação, grilo

e. açor, águia, iguana, corvo

5. RELACIONE O MACHO COM A RESPETIVA FÊMEA.

1. cavalo   **a.** cabra

2. galo   **b.** cadela

3. carneiro   **c.** galinha

4. boi   **d.** égua

5. cão   **e.** vaca

6. bode   **f.** ovelha

6. DE ACORDO COM O TEXTO, ASSINALE QUAIS DAS SEGUINTES AFIRMAÇÕES SÃO VERDADEIRAS OU FALSAS.

A Carla gosta muito de animais. Quando decidiu ter um animal, foi a uma associação protetora de animais para adotar um gato. Porém, acabou por ficar com uma linda cadela branca com malhas castanhas a quem deu o nome de Lua.

A Lua tem oito anos, mas é muito simpática, sociável e brincalhona. Na rua da Carla toda a gente gosta da Lua: as crianças, os adultos e os velhotes. Passear a Lua é uma festa para as duas!

	V	F
a. A Carla gosta de animais.		
b. Decidiu comprar um gato.		
c. Foi a uma loja de animais.		
d. Comprou uma cadela.		
e. A cadela chama-se Luna.		
f. A Lua não gosta de pessoas.		
g. Ninguém gosta da Lua.		

7. LIGUE AS COLUNAS A, B E C DE MODO A FORMAR FRASES E DE SEGUIDA ESCREVA-AS.

A	B	C
Muitos portugueses	gostam de caçar	lã.
Os gatos	comem	peru no Natal.
A matança do porco	extrai-se	bárbara.
As abelhas	há	ratos.
Naquele lago	são	vegetarianos.
Alguns portugueses	é uma tradição	muitos patos.
Das ovelhas	fabricam	mel.

a. _____
b. _____
c. _____
d. _____
e. _____
f. _____
g. _____

8. ORDENE AS FRASES E ORGANIZE O TEXTO.

☐ é uma luta de

☐ fazem campanhas de adoção.

☐ A defesa dos direitos dos animais

☐ de animais de rua.

☐ Defendem a esterilização

☐ muitas associações em Portugal.

☐ Lutam contra o abandono e

9. ELIMINE A SÍLABA INTRUSA, ORGANIZE AS RESTANTES E ENCONTRE ANIMAIS DOMÉSTICOS.

a. NHA   LI   GO   GA   _____
b. CO   POR   PAR   _____
c. BA   RRO   BU   _____
d. VE   O   VI   LHA   _____
e. LU   CA   LO   VA   _____
f. LA   CA   LO   DE   _____
g. BRA   BRO   CA   _____

10. COMPLETE O TEXTO COM AS PALAVRAS DO QUADRO.

extinção	linces	cativeiro
ibérico	felino	natureza

O Lince Ibérico

Inaugurado em maio de 2009, o Centro Nacional de Reprodução em Cativeiro para o Lince Ibérico, na herdade de Santinhas em Silves, tem como objetivo preparar os _____ para serem selvagens e que ali aguardam o momento de serem libertados na _____, em território português ou espanhol. O lince _____ é a espécie felina mais ameaçada do mundo, classificada como criticamente em perigo de _____ na Lista Vermelha Internacional para a Conservação da Natureza. A salvação deste _____ é o objetivo do projeto ibérico LIFE Iberlince (2011-2016), através da reprodução em _____, para depois serem lançados na natureza.

Fonte: http://www.areasprotegidas.icnf.pt/lince/

4 CARDINAIS, ORDINAIS E TERMOS MATEMÁTICOS

4.1. CARDINAIS

PORTUGUÊS	ENGLISH	ESPAÑOL	DEUTSCH	FRANÇAIS
0 - zero	0 - zero	0 - cero	0 - null	0 - zéro
1 - um	1 - one	1 - uno	1 - eins	1 - un
2 - dois	2 - two	2 - dos	2 - zwei	2 - deux
3 - três	3 - three	3 - tres	3 - drei	3 - trois
4 - quatro	4 - four	4 - cuatro	4 - vier	4 - quatre
5 - cinco	5 - five	5 - cinco	5 - fünf	5 - cinq
6 - seis	6 - six	6 - seis	6 - sechs	6 - six
7 - sete	7 - seven	7 - siete	7 - sieben	7 - sept
8 - oito	8 - eight	8 - ocho	8 - acht	8 - huit
9 - nove	9 - nine	9 - nueve	9 - neun	9 - neuf
10 - dez	10 - ten	10 - diez	10 - zehn	10 - dix
11 - onze	11 - eleven	11 - once	11 - elf	11 - onze
12 - doze	12 - twelve	12 - doce	12 - zwölf	12 - douze
13 - treze	13 - thirteen	13 - trece	13 - dreizehn	13 - treize
14 - catorze	14 - fourteen	14 - catorce	14 - vierzehn	14 - quatorze
15 - quinze	15 - fifteen	15 - quince	15 - fünfzehn	15 - quinze
16 - dezasseis	16 - sixteen	16 - dieciséis	16 - sechzehn	16 - seize
17 - dezassete	17 - seventeen	17 - diecisiete	17 - siebzehn	17 - dix-sept
18 - dezoito	18 - eighteen	18 - dieciocho	18 - achtzehn	18 - dix-huit
19 - dezanove	19 - nineteen	19 - diecinueve	19 - neunzehn	19 - dix-neuf
20 - vinte	20 - twenty	20 - veinte	20 - zwanzig	20 - vingt
21 - vinte e um	21 - twenty-one	21 - veintiuno	21 - einundzwanzig	21 - vingt et un
30 - trinta	30 - thirty	30 - treinta	30 - dreißig	30 - trente
40 - quarenta	40 - forty	40 - cuarenta	40 - vierzig	40 - quarante
50 - cinquenta	50 - fifty	50 - cincuenta	50 - fünfzig	50 - cinquante
60 - sessenta	60 - sixty	60 - sesenta	60 - sechzig	60 - soixante
70 - setenta	70 - seventy	70 - setenta	70 - siebzig	70 - soixante-dix
80 - oitenta	80 - eighty	80 - ochenta	80 - achtzig	80 - quatre-vingts
90 - noventa	90 - ninety	90 - noventa	90 - neunzig	90 - quatre-vingt-dix
100 - cem	100 - a/one hundred	100 - cien	100 - hundert	100 - cent
101 - cento e um	101 - a/one hundred and one	101 - ciento uno	101 - einhunderteins	101 - cent un
199 - cento e noventa e nove	199 - a/one hundred and ninety-nine	199 - ciento noventa y nueve	199 - einhundertneunundneunzig	199 - cent quatre-vingt--dix-neuf
200 - duzentos	200 - two hundred	200 - doscientos	200 - zweihundert	200 - deux cents
300 - trezentos	300 - three hundred	300 - trescientos	300 - dreihundert	300 - trois cents
400 - quatrocentos	400 - four hundred	400 - cuatrocientos	400 - vierhundert	400 - quatre cents
500 - quinhentos	500 - five hundred	500 - quinientos	500 - fünfhundert	500 - cinq cents

PORTUGUÊS	ENGLISH	ESPAÑOL	DEUTSCH	FRANÇAIS
600 - seiscentos	600 - six hundred	600 - seiscientos	600 - sechshundert	600 - six cents
700 - setecentos	700 - seven hundred	700 - setecientos	700 - siebenhundert	700 - sept cents
800 - oitocentos	800 - eight hundred	800 - ochocientos	800 - achthundert	800 - huit cents
900 - novecentos	900 - nine hundred	900 - novecientos	900 - neunhundert	900 - neuf cents
1000 - mil	1000 - a/one thousand	1000 - mil	1000 - (ein-)tausend	1000 - mille
1001 - mil e um	1001 - a/one thousand and one	1001 - mil uno	1001 - eintausendeins	1001 - mille un
2000 - dois mil	2000 - two thousand	2000 - dos mil	2000 - zweitausend	2000 - deux mille
3000 - três mil	3000 - three thousand	3000 - tres mil	3000 - dreitausend	3000 - trois mille
...	...	...	...	...
...	...	...	...	...
...	...	...	...	...
10 000 - dez mil	10 000 - ten thousand	10 000 - diez mil	10 000 - zehntausend	10 000 - dix mille
10 001 - dez mil e um	10 001 - ten thousand and one	10 001 - diez mil uno	10 001 - zehntausendundeins	10 001 - dix mille un
20 000 - vinte mil	20 000 - twenty thousand	20 000 - veinte mil	20 000 - zwanzigtausend	20 000 - vingt mille
30 000 - trinta mil	30 000 - thirty thousand	30 000 - treinta mil	30 000 - dreißigtausend	30 000 - trente mille
...	...	...	...	...
...	...	...	...	...
...	...	...	...	...
100 000 - cem mil	100 000 - a/one hundred thousand	100 000 - cien mil	100 000 - einhunderttausend	100 000 - cent mille
100 001 - cem mil e um	100 001 - a/one hundred thousand and one	100 001 - cien mil uno	100 001 - einhunderttausendundeins	100 001 - cent mille un
200 000 - duzentos mil	200 000 - two hundred thousand	200 000 - doscientos mil	200 000 - zweihunderttausend	200 000 - deux cent mille
300 000 - trezentos mil	300 000 - three hundred thousand	300 000 - trescientos mil	300 000 - dreihunderttausend	300 000 - trois cent mille
...	...	...	...	...
...	...	...	...	...
...	...	...	...	...
1 000 000 - um milhão	1 000 000 - a/one million	1 000 000 - un millón	1 000 000 - eine Million	1 000 000 - un million
10 000 000 - dez milhões	10 000 000 - ten million	10 000 000 - diez millones	10 000 000 - zehn Millionen	10 000 000 - dix millions
100 000 000 - cem milhões	100 000 000 - one hundred million	100 000 000 - cien millones	100 000 000 - hundert Millionen	100 000 000 - cent millions

4.2. ORDINAIS

PORTUGUÊS	ENGLISH	ESPAÑOL	DEUTSCH	FRANÇAIS
1.º - primeiro	1.º - first	1.º - primero	1.º - erster	1.º - premier
2.º - segundo	2.º - second	2.º - segundo	2.º - zweiter	2.º - deuxième
3.º - terceiro	3.º - third	3.º - tercero	3.º - dritter	3.º - troisième
4.º - quarto	4.º - fourth	4.º - cuarto	4.º - vierter	4.º - quatrième
5.º - quinto	5.º - fifth	5.º - quinto	5.º - fünfter	5.º - cinquième
6.º - sexto	6.º - sixth	6.º - sexto	6.º - sechster	6.º - sixième
7.º - sétimo	7.º - seventh	7.º - séptimo	7.º - siebter	7.º - septième
8.º - oitavo	8.º - eighth	8.º - octavo	8.º - achter	8.º - huitième
9.º - nono	9.º - ninth	9.º - noveno	9.º - neunter	9.º - neuvième
10.º - décimo	10.º - tenth	10.º - décimo	10.º - zehnter	10.º - dixième
11.º - décimo primeiro	11.º - eleventh	11.º - décimo primero	11.º - elfter	11.º - onzième
...	...	...	...	...
...	...	...	...	...
...	...	...	...	...
20.º - vigésimo	20.º - twentieth	20.º - vigésimo	20.º - zwanzigster	20.º - vingtième
30.º - trigésimo	30.º - thirtieth	30.º - trigésimo	30.º - dreißigster	30.º - trentième
40.º - quadrigésimo	40.º - fortieth	40.º - cuadragésimo	40.º - vierzigster	40.º - quarantième
50.º - quinquagésimo	50.º - fiftieth	50.º - quincuagésimo	50.º - fünfzigster	50.º - cinquantième
60.º - sexagésimo	60.º - sixtieth	60.º - sexagésimo	60.º - sechzigster	60.º - soixantième
70.º - septuagésimo	70.º - seventieth	70.º - septuagésimo	70.º - siebzigster	70.º - soixante-dixième
80.º - octogésimo	80.º - eightieth	80.º - octogésimo	80.º - achzigster	80.º - quatre-vingtième
90.º - nonagésimo	90.º - ninetieth	90.º - nonagésimo	90.º - neunzigster	90.º - quatre-vingt-dixième
100.º - centésimo	100.º - hundredth	100.º - centésimo	100.º - einhundertster	100.º - centième
101.º - centésimo primeiro	101.º - hundred and first	101.º - centésimo primero	101.º - einhunderterster	101.º - cent-unième
1000.º - milésimo	1000.º - thousandth	1000.º - milésimo	1000.º - eintausendster	1000.º - millième
1 000 000.º - milionésimo	1 000 000.º - millionth	1 000 000.º - millonésimo	1 000 000.º - millionster	1 000 000.º - millionième

4.3. TERMOS MATEMÁTICOS

PORTUGUÊS	ENGLISH	ESPAÑOL	DEUTSCH	FRANÇAIS
adição, s.f.	addition	suma	Addition	addition
adicionar, v.tr.	to add	sumar	addieren	additionner
algarismo, s.m.	numeral, number, figure	guarismo, cifra	Ziffer	chiffre
álgebra, s.f.	algebra	álgebra	Algebra	algèbre
algoritmo, s.m.	algorithm	algoritmo	Algorithmus	algorithme
ângulo, s.m.	angle	ángulo	winkel	angle
- agudo, adj.	- acute (angle)	- agudo	- spitzer	- aigu

PORTUGUÊS	ENGLISH	ESPAÑOL	DEUTSCH	FRANÇAIS
- obtuso, *adj.*	- obtuse (angle)	- obtuso	- stumpfer	- obtus
- raso, *adj.*	- plane (angle), 180º (angle)	- llano	- gestreckter	- plat
- reto, *adj.*	- right (angle)	- recto	- rechter	- droit
ao cubo, *s.m.*	cubed	al cubo	hoch drei	au cube
ao quadrado, *s.m.*	squared	al cuadrado	zum Quadrat	au carré
aresta, *s.f.*	edge	arista	Kante	arête
aritmética, *s.f.*	arithmetic	aritmética	Arithmetik	arithmétique
capicua, *s.f.*	palindromic number	capicúa	Zahlenpalindrom	nombre palindrome
centena, *s.f.*	(group of) one hundred	centena	hundert	centaine
cilindro, *s.m.*	cylinder	cilindro	Zylinder	cylindre
círculo, *s.m.*	circle	círculo	Kreis	disque
circunferência, *s.f.*	circumference	circunferencia	Kreisumfang	cercle
comprimento, *s.m.*	length	longitud	Länge	longueur
cone, *s.m.*	cone	cono	Kegel	cône
cubo, *s.m.*	cube	cubo	Würfel	cube
curva, *s.f.*	curve	curva	Kurve	courbe
décima, *s.f.*	decimal	décima	Zehntel	dixième
décima, *s.f.* (parte)	a tenth (part)	décima parte	Zehntel	dixième
dezena, *s.f.*	(group of) ten	decena	(Gruppe von) Zehn	dizaine
diâmetro, *s.m.*	diameter	diámetro	Durchmesser	diamètre
dígito, *s.m.*	digit	dígito	Ziffer	chiffre
dividir, *v.tr.*	to divide	dividir	teilen	diviser
divisão, *s.f.*	division	división	Division	division
dobro, *s.m.*	double	doble	Doppelte	double
dúzia, *s.f.*	dozen	docena	Dutzend	douzaine
elipse, *s.f.*	ellipse	elipse	Ellipse	ellipse
esfera, *s.f.*	sphere	esfera	Kugel	sphère
face, *s.f.*	face	cara	Fläche	face
fração, *s.f.*	fraction	fracción	Bruch	fraction
- denominador, *s.m.*	- denominator	- denominador	- Nenner	- dénominateur
- numerador, *s.m.*	- numerator	- numerador	- Zähler	- numérateur
geometria, *s.f.*	geometry	geometría	Geometrie	géométrie
hexágono, *s.m.*	hexagon	hexágono	Sechseck	hexagone
largura, *s.f.*	width	anchura	Breite	largeur
linha reta, *s.f.*	straight line	línea recta	gerade Linie	ligne droite
logaritmo, *s.m.*	logarithm	logaritmo	Logarithmus	logarithme
losango, *s.m.*	rhombus	rombo	Raute, Rhombus	losange

PORTUGUÊS	ENGLISH	ESPAÑOL	DEUTSCH	FRANÇAIS
meia dezena, s.f.	five	media decena	fünf (wörtlich: die Hälfte von Zehn)*	demi-dizaine
meia dúzia, s.f.	half (a) dozen	media docena	halbes Dutzend	demi-douzaine
metade, s.f.	half	mitad	Hälfte	moitié
multiplicação, s.f.	multiplication	multiplicación	Multiplikation	multiplication
multiplicar, v.tr.	to multiply	multiplicar	multiplizieren	multiplier
número, s.m.	number	número	Zahl	nombre
oval, s.f. e adj.	oval	oval	Oval	ovale
paralelepípedo, s.m.	parallelepiped	paralelepípedo	Parallelepiped	parallélépipède
parcela, s.f.	parcel	parcela	Summand	terme
paralelogramo, s.m.	parallelogram	paralelogramo	Parallelogramm	parallélogramme
pentágono, s.m.	pentagon	pentágono	Fünfeck	pentagone
percentagem, s.f.	percentage	porcentaje	Prozentsatz	pourcentage
perímetro, s.m.	perimeter	perímetro	Umfang	périmètre
pirâmide, s.f.	pyramid	pirámide	Pyramide	pyramide
porcento, s.m.	per cent	porciento	Prozent	pour cent
prisma, s.m.	prism	prisma	Prisma	prisme
quadrado, s.m. e adj.	square	cuadrado	Quadrat, quadratisch	carré
quádruplo, s.m. e adj. num. mult.	quadruple	cuádruple	Vierfache, vierfach	quadruple
raio, s.m.	radius	radio	Radius	rayon
raiz quadrada, s.f.	square root	raíz cuadrada	Quadratwurzel	racine carré
retangular, adj.	rectangular	rectangular	rechteckig	rectangulaire
retângulo, s.m.	rectangle	rectángulo	Rechteck	rectangle
reta, s.f.	line	recta	Gerade	droite
- oblíqua, adj.	- oblique	- oblicua	- sich schneidende	- oblique
- paralela, adj.	- parallel	- paralela	- parallele	- parallèle
- perpendicular, adj.	-perpendicular	- perpendicular	- Lot	- perpendiculaire
soma, s.f.	sum	suma	Summe	somme
somar, v.tr.	to sum	sumar	zusammenzählen, summieren	ajouter
somatório, s.m.	sum total	sumatorio	(Gesamt-)Summe	somme (arithmétique)
subtração, s.f.	subtraction	resta	Subtraktion	soustraction
subtrair, v.tr.	to subtract	restar	abziehen, subtrahieren	soustraire
tonelada, s.f.	ton	tonelada	Tonne	tonne
total, s.m.	total	total	Summe	total
trapézio, s.m.	trapezium	trapecio	Trapez	trapèze
triângulo, s.m.	triangle	triángulo	Dreieck	triangle
- equilátero, adj.	- equilateral	- equilátero	- gleichseitiges	- équilatéral

PORTUGUÊS	ENGLISH	ESPAÑOL	DEUTSCH	FRANÇAIS
- isósceles, *adj.*	- isosceles	- isósceles	- gleichschenkliges	- isocèle
- escaleno, *adj.*	- scalene	- escaleno	- ungleichseitiges	- scalène
triangular, *adj.*	triangular	triangular	dreieckig	triangulaire
triplo, *s.m.*, *adj.* e *num.mult.*	triple	triple	Dreifache/dreifach	triple
triplicar, *v.tr.*	to triple	triplicar	verdreifachen	tripler
um décimo	a tenth	un décimo	ein Zehntel	un dixième
um e meio	one and a half	uno y medio	eineinhalb	un et demi
um meio	a half	un medio	halb	un demi
um oitavo	an eighth	un octavo	ein Achtel	un huitième
um quarto	a quarter	un cuarto	ein Viertel	un quart
um quinto	a fifth	un quinto	ein Fünftel	un cinquième
um sétimo	a seventh	un sétimo	ein Siebtel	un septième
um sexto	a sixth	un sexto	ein Sechstel	un sixième
um terço	a third	un tercio	ein Drittel	un tiers
um nono	a ninth	un noveno	ein Neuntel	un neuvième
vértice, *s.m.*	vertex, apex	vértice	Eckpunkt	sommet
volume, *s.m.*	volume	volumen	Volumen	volume

*Nota do tradutor do alemão:
O termo "meia dezena" em alemão não existe. Diz-se 5.

1. COMPLETE AS PALAVRAS COM AS LETRAS EM FALTA E ENCONTRE TERMOS MATEMÁTICOS.

a. R ___ IZ   Q ___ ___ DR ___ D ___
b. ___ RI ___ L ___
c. T ___ N ___ ___ A ___ A
d. ___ ET ___ ___ E
e. P ___ RC ___ ___ ___ ___ GE ___
f. ___ OB ___ O
g. DÍ ___ ___ ___ O

2. DESCUBRA O INTRUSO NAS SEGUINTES SÉRIES LÓGICAS.

a. quadro, quadrado, triângulo, losango
b. cone, oval, esfera, cilindro
c. segundo, terceiro, terço, quarto
d. reto, reta, agudo, obtuso
e. multiplicar, dividir, somar, somatório
f. sete, oito, oitavo, nove
g. dobro, triplo, triplicar, quádruplo

3. ESCOLHA A OPÇÃO QUE LHE PARECER CORRETA.

A. Percentagem refere-se a

- **a.** ☐ uma operação aritmética.
- **b.** ☐ uma área da Matemática.
- **c.** ☐ proporção calculada em relação a uma grandeza de cem unidades (símbolo: %).
- **d.** ☐ uma forma geométrica.

B. Cilindro refere-se a

- **a.** ☐ um ordinal.
- **b.** ☐ um cardinal.
- **c.** ☐ um algoritmo.
- **d.** ☐ um sólido geométrico.

C. Milésimo refere-se a

- **a.** ☐ um dígito.
- **b.** ☐ um ângulo.
- **c.** ☐ um ordinal.
- **d.** ☐ um sólido geométrico.

4. ORGANIZE AS LETRAS DE MODO A FORMAR PALAVRAS.

- **a.** RIAPMS
- **b.** ETOR
- **c.** PÁETNGNOO
- **d.** HLOÃMI
- **e.** OVMIIGSÉ
- **f.** IRDDIIV
- **g.** AÁRLBGE

5. NO EXERCÍCIO ANTERIOR, OBTEVE O NOME DE UM/UMA:

- **a.**
- **b.**
- **c.**
- **d.**
- **e.**
- **f.**
- **g.**

6. ORDENE AS FRASES E ORGANIZE A HISTÓRIA.

[ ] e uns sapatos por metade do preço.
[ ] Almoçou meia dose de frango com batatas fritas.
[ ] À tarde foi ao cinema,
[ ] Comprou umas calças com 40% de desconto
[ ] estava meia dúzia de pessoas na sala.
[ ] A Joana passou a manhã no Centro Comercial Colombo.
[ ] Depois do cinema, foi beber um café e voltou para casa.

7. SIGA O RACIOCÍNIO LÓGICO.

A. Reto está para ângulo assim como raio está para

    a. [ ] perímetro
    b. [ ] circunferência
    c. [ ] triangular
    d. [ ] triângulo

B. Reta está para paralela assim como triângulo está para

    a. [ ] losango
    b. [ ] oval
    c. [ ] equilátero
    d. [ ] círculo

C. Aresta está para cubo assim como numerador está para

    a. [ ] terço
    b. [ ] meia
    c. [ ] denominador
    d. [ ] metade

8. FAÇA CORRESPONDER O VOCABULÁRIO MATEMÁTICO A CADA UM DOS CONCEITOS.

1. dois, cem, trinta	**a.** fração
2. décimo, segundo, quarto	**b.** operações aritméticas
3. reto, agudo, obtuso	**c.** cardinais
4. cone, cilindro, esfera	**d.** ordinais
5. quadrado, triângulo, losango	**e.** ângulo
6. dividir, multiplicar, somar	**f.** sólidos geométricos
7. um quarto, um terço, um meio	**g.** figuras geométricas

9. COMPLETE O TEXTO COM AS PALAVRAS DO QUADRO.

matemático	colóquios	Financeiras	intelectual
Matemática	licenciatura	fundadores	
estudantes	científica	*Álgebra*	linguagem

Bento de Jesus Caraça (1901-1948)

Bento de Jesus Caraça foi um _____ português que nasceu em Vila Viçosa, no Alentejo e que desde cedo revelou grande capacidade _____ e apetência para o estudo. Aos vinte e dois anos concluiu a sua _____ no Instituto Superior de Ciências Económicas e _____ (I.S.C.E.F.). Lecionou as cadeiras de «Matemáticas Superiores-Análise Infinitesimal, Cálculo das Probabilidades e suas Aplicações» e «Matemáticas Superiores-Álgebra Superior. Princípios de Análise Infinitesimal. Geometria Analítica». Desenvolveu intensa atividade _____ e pedagógica, espelhada em inúmeras publicações de cursos, conferências e _____. Foi um dos _____ da Sociedade Portuguesa de _____ em dezembro de 1940, onde viria também a ser presidente. Em 1940 fundou a *Gazeta de Matemática* e em 1941 a Biblioteca Cosmos, publicando 114 títulos e 793 500 exemplares. Nesta coleção, publicou o seu livro *Conceitos Fundamentais da Matemática*, considerada até hoje obra de referência na abordagem e estudo desta disciplina. *Lições de* _____ *e Análise*, editada em 1935 e revista em 1945, provocou um grande impacto entre os _____ da época, apresentando a matemática com uma _____ inovadora, abordada de forma fascinante e clara.

Fonte: http://cvc.instituto-camoes.pt/ciencia/p19.html

5 CASA

5.1. LOCALIZAÇÃO E TIPO DE HABITAÇÃO

PORTUGUÊS	ENGLISH	ESPAÑOL	DEUTSCH	FRANÇAIS
Localização:	**Location:**	**Localización:**	**Ortsbestimmung:**	**Localisation:**
aldeia, *s.f.*	village	aldea, pueblo	Dorf	village
arredores, *s.m.pl.*	environs	alrededores	Vorstadt	alentours
centro, *s.m.*	centre	centro	Stadtzentrum	centre
cidade, *s.f.*	city	ciudad	Stadt	ville
periferia, *s.f.*	outskirts	periferia	Stadtrand	périphérie
quarteirão, *s.m.*	block	manzana	Häuserblock	quartier
subúrbios, *s.m.pl.*	suburbs	afueras	Vorort	banlieue
vila, *s.f.*	small town	pueblo	Kleinstadt	ville
Tipo de habitação:	**Type of housing:**	**Tipo de vivienda:**	**Wohnungstyp:**	**Type de logement:**
águas-furtadas, *s.f.pl.*	attic, penthouse	buhardilla	Dachwohnung	combles
andar, *s.m.*	floor	piso	Wohnung/Stock(werk)	étage
apartamento, *s.m.*	apartment	apartamento	Etagenwohnung, Appartement	appartement
casa, *s.f.* (própria/ alugada/ arrendada/ em segunda mão)	house (owner occupied/ rented/pre-owned)	casa (propia/alquilada/ arrendada/de segunda mano)	Haus (eigenes/gemietetes Haus/gebrauchtes Haus)	maison (personnelle/ louée/d'occasion)
condomínio, *s.m.*	condominium	comunidad de propietarios	Wohnanlage	copropriété/syndic
edifício, *s.m.*	building	edificio	Gebäude	bâtiment
lote, *s.m.*	plot	parcela	Grundstück	lot
moradia, *s.f.*	house	vivienda	Einfamilienhaus	pavillon
prédio, *s.m.*	apartment block	edificio	Mehrfamilienhaus	immeuble
quarto, *s.m.*	room	habitación	Zimmer	chambre
urbanização, *s.f.*	residential development	urbanización	Bebauung, Stadtplanung	urbanisation
vivenda, *s.f.* (geminada/ em banda)	house (semi-detached/ terraced)	casa (pareada/adosada)	Einzelhaus (Doppe-lhaushälfte/Reihenhaus)	villa (jumelée/mitoyenne)

5.2. INTERIOR DA CASA

5.2.1. Cozinha

PORTUGUÊS	ENGLISH	ESPAÑOL	DEUTSCH	FRANÇAIS
Utensílios:	**Utensils:**	**Utensilios:**	**Küchenartikel:**	**Ustensiles:**
caçarola, *s.f.*	casserole	cacerola	Kasserolle, Schmortopf	casserole
cafeteira, *s.f.*	coffee pot	cafetera	Kaffeekanne	cafetière
cálice, *s.m.*	wine glass	copa	Likörglas, Kelch	verre à liqueur
caneca, *s.f.*	mug	jarra, taza	Becher, Krug	tasse
chávena, *s.f.*	cup	taza	Teetasse	tasse à thé
coador, *s.m.*	strainer	colador	Sieb	passoire

PORTUGUÊS	ENGLISH	ESPAÑOL	DEUTSCH	FRANÇAIS
copo, s.m.	glass	vaso	Glas, Becher	verre
espremedor, s.m.	masher	exprimidor	(Saft-)Presse	presse-agrumes
frigideira, s.f.	frying pan	sartén	Pfanne	poêle
galheteiro, s.m.	cruet	convoy	Gewürzständer	huilier et vinaigrier
garrafa, s.f.	bottle	botella	Flasche	bouteille
grelhador, s.m.	grill	parrilla	Grill	grilloir
louça, s.f.	crockery	loza	Geschirr	vaisselle
panela, s.f.	pan	olla	Kochtopf	marmite
panela de pressão, s.f.	pressure cooker	olla a presión	Schnellkochtopf	cocotte minute
pires, s.m.	saucer	platito	Untertasse	soucoupe
rolha, s.f.	cork	tapón	Korken	bouchon
saca-rolhas, s.m.	corkscrew	sacacorchos	Korkenzieher	tire-bouchon
saladeira, s.f.	salad bowl	ensaladera	Salatschüssel	saladier
saleiro, s.m.	salt shaker	salero	Salzstreuer	salière
tabuleiro, s.m.	tray	bandeja	Tablett	plateau
tacho, s.m.	bowl	cazuela	Topf	casserole
talheres, s.m.pl.	cutlery	cubiertos	Besteck	couverts
- colher, s.f.	- spoon	- cuchara	- Löffel	- cuillère
- faca, s.f.	- knife	- cuchillo	- Messer	- couteau
- garfo, s.m.	- fork	- tenedor	- Gabel	- fourchette
tigela, s.f.	bowl, dish	cuenco	Schale	bol
toalha de mesa, s.f.	tablecloth	mantel	Tischdecke	nappe
travessa, s.f.	platter	fuente	Servierplatte	grand plat
Outros:	**Other:**	**Otros:**	**Andere:**	**Autres:**
armário, s.m.	cupboard	armario	Schrank	armoire
despensa, s.f.	pantry	despensa	Abstellkammer	garde-manger
lava-louça, s.m.	sink	fregadero	Waschbecken	évier

5.2.2. Casa de banho

PORTUGUÊS	ENGLISH	ESPAÑOL	DEUTSCH	FRANÇAIS
água de colónia, s.f.	eau de cologne	agua de colonia	Kölnischwasser	eau de Cologne
autoclismo, s.m.	cistern	cisterna	Spülkasten	chasse d'eau
balança, s.f.	scales	balanza	Waage	balance
banheira, s.f.	bath	bañera	Badewanne	baignoire
bidé, s.m.	bidet	bidé	Bidet	bidet
chuveiro, s.m.	shower	ducha	Dusche	douche
escova de dentes, s.f.	toothbrush	cepillo de dientes	Zahnbürste	brosse à dents
esponja, s.f.	sponge	esponja	Schwamm	éponge

PORTUGUÊS	ENGLISH	ESPAÑOL	DEUTSCH	FRANÇAIS
fazer a barba, v.tr.	to shave	afeitarse	sich rasieren	se raser
gel de banho, s.m.	shower gel	gel de baño	Duschgel	gel douche
lâmina de barbear, s.f.	razor blade	cuchilla de afeitar	Rasierklinge	rasoir
lavatório, s.m.	washbasin	lavabo	Waschbecken	lavabo
máquina de barbear, s.f.	razor	máquina de afeitar	Rasierapparat	machine à raser
papel higiénico, s.m.	toilet paper	papel higiénico	Toilettenpapier	papier toilette
pasta dentífrica, s.f.	toothpaste	pasta de dientes	Zahnpasta	dentifrice
perfume, s.m.	perfume	perfume	Parfüm	parfum
sabonete, s.m.	soap	jabón	Seife	savonnette
sanita, s.f.	toilet, WC	inodoro	Toilette	cuvette WC
secador, s.m.	hair dryer	secador	Föhn	séchoir
toalha, s.f.	towel	toalla	Handtuch	serviette éponge
tomar, v.tr. (banho)	to bathe	bañarse	baden	prendre un bain
tomar, v.tr. (duche)	to shower	ducharse	duschen	prendre une douche

5.2.3. Sala de estar e sala de jantar

PORTUGUÊS	ENGLISH	ESPAÑOL	DEUTSCH	FRANÇAIS
almofada, s.f.	cushion	cojín	Kissen	coussin
aparador, s.m.	sideboard	aparador	Sideboard	buffet
aparelhagem, s.f.	hi-fi	equipo de alta fidelidad	Stereoanlage	chaîne Hifi
cadeira, s.f.	chair	silla	Stuhl	chaise
cadeirão, s.m.	armchair	butaca	Sessel	fauteuil
canapé, s.m.	settee	canapé	Sofa, Chaiselongue	canapé
candeeiro, s.m. (de pé/de mesa)	lamp (standard/table)	lámpara (de pie/de mesa)	Stehlampe/Tischlampe	lampe (à pied/de table)
carpete, s.f.	(fitted) carpet	moqueta	Teppich(boden)	carpette
cortina, s.f.	curtain	cortina	Vorhang	rideau
cortinado, s.m.	set of curtains, drapery	cortinaje	Vorhang	rideau
cristaleira, s.f.	china cabinet	vitrina	Gläserschrank	cristallier
estante, s.f.	bookcase	estantería	Regal	étagère
guardanapo, s.m.	napkin	servilleta	Serviette	serviette de table
lareira, s.f.	fireplace	chimenea	Kamin	cheminé
leitor de DVD, s.m.	DVD player	lector de DVD	DVD-Player	lecteur de DVD
levantar, v.tr. (a mesa)	to clear the table	retirar la mesa	den Tisch abräumen	ranger la table
mesa, s.f.	table	mesa	Tisch	table
poltrona, s.f.	armchair	poltrona	(Arm-)Sessel	bergère
pôr, v.tr. (a mesa)	to lay the table	poner la mesa	den Tisch decken	mettre la table
quadro, s.m.	painting	cuadro	Bild	tableau

PORTUGUÊS	ENGLISH	ESPAÑOL	DEUTSCH	FRANÇAIS
rádio, s.m.	radio	radio	Radio	poste radio
relógio de parede, s.m.	wall clock	reloj de pared	Wanduhr	horloge
sofá, s.m.	sofa	sofá	Couch	canapé
tapete, s.m.	carpet, rug	alfombra	Teppich	tapis
telefonia, s.f.	radio	telefonía	Radio	radiotéléphonie
televisão, s.f.	television	televisión	Fernseher	poste de télévision
toalha de mesa, s.f.	tablecloth	mantel	Tischdecke	nappe

5.2.4. Quarto

PORTUGUÊS	ENGLISH	ESPAÑOL	DEUTSCH	FRANÇAIS
beliche, s.m.	bunk beds	cuna	Stockbett	lit superposé
cama, s.f.	bed	cama	Bett	lit
cobertor, s.m.	blanket	cobertor	Bettdecke	couverture
colcha, s.f.	bedspread, quilt	colcha	Tagesdecke	couvre-lit
colchão, s.m.	mattress	colchón	Matratze	matelas
cómoda, s.f.	chest of drawers	cómoda	Kommode	commode
despertador, s.m.	alarm clock	despertador	Wecker	réveil
espelho, s.m.	mirror	espejo	Spiegel	miroir
fazer, v.tr. (a cama)	to make the bed	hacer la cama	das Bett machen	faire le lit
fronha, s.f.	pillowcase	funda de almohada	Kissenbezug	taie d'oreiller
guarda-roupa, s.m.	wardrobe	armario	Kleiderschrank	garde-robe
lençol, s.m.	sheet	sábana	Betttuch	drap
mesa de cabeceira, s.f.	bedside table	mesita de noche	Nachttisch	table de chevet
roupeiro, s.m.	wardrobe	ropero	Kleiderschrank	penderie
travesseiro, s.m.	pillow	almohada	Kopfkissen	coussin

5.3. OUTROS

PORTUGUÊS	ENGLISH	ESPAÑOL	DEUTSCH	FRANÇAIS
adega, s.f.	cellar	bodega	Weinkeller	cave
antena, s.f.	TV aerial	antena	Antenne	antenne
arrecadação, s.f.	storeroom	trastero	Abstellkammer	débarras
assoalhada, s.f.	room	habitación	Raum	pièce
caixa do correio, s.f.	mailbox	buzón	Briefkasten	boîte aux lettres
chaminé, s.f.	chimney	chimenea	Schornstein	cheminée
claraboia, s.f.	skylight	claraboya	Dachfenster	œil-de-bœuf
corredor, s.m.	corridor	pasillo	Flur	couloir
elevador, s.m.	lift	ascensor	Aufzug	ascenseur

PORTUGUÊS	ENGLISH	ESPAÑOL	DEUTSCH	FRANÇAIS
entrada, s.f.	entrance hall	entrada	Eingang; Hausflur	entrée
escada, s.f.	staircase	escalera	Treppe	escalier
garagem, s.f.	garage	garaje	Garage	garage
horta, s.f.	garden	huerta	Gemüsegarten	potager
marquise, s.f.	sunroom	marquesina	Glasveranda	marquise
muro, s.m.	(boundary) wall	muro	Mauer	mur
patamar, s.m.	landing	descansillo	Treppenabsatz	palier
piscina, s.f.	swimming pool	piscina	Pool; Schwimmbecken	piscine
porta, s.f.	door	puerta	Tür	porte
portão, s.m.	gate	portón	Tor	portail
quintal, s.m.	backyard	patio	Garten	potager
sótão, s.m.	attic	desván	Dachboden	grenier
telhado, s.m.	roof	tejado	Dach	toit
terraço, s.m.	terrace	terraza	Terrasse	terrasse
varanda, s.f.	balcony	balcón	Balkon	balcon
vedação, s.f.	fence	cercado	Zaun	clôture
Jardim:	**Garden:**	**Jardín:**	**Garten:**	**Jardin:**
arbusto, s.m.	bush, shrub	arbusto	Busch	arbuste
árvore, s.f.	tree	árbol	Baum	arbre
canteiro, s.m.	flower tub, flower bed	arriate	Blumenbeet	parterre
estufa, s.f.	greenhouse	invernadero	Gewächshaus	serre
flor, s.f.	flower	flor	Blume	fleur
mangueira, s.f.	hosepipe	manguera	Schlauch	tuyau
máquina de cortar relva, s.f.	lawnmower	cortacésped	Rasenmäher	tondeuse
planta, s.f.	plant	planta	Pflanze	plante
regador, s.m.	watering can	regadera	Gießkanne	arrosoir
vaso, s.m.	flowerpot	maceta	Blumentopf	vase

5.4. ELETRODOMÉSTICOS/EQUIPAMENTOS

PORTUGUÊS	ENGLISH	ESPAÑOL	DEUTSCH	FRANÇAIS
aquecedor, s.m.	heater	calefactor	Heizkörper	radiateur
aquecer, v.tr. e intr.	to heat, to warm up	calentar	heizen	chauffer
aquecimento, s.m.	heating	calefacción	Heizung	chauffage
ar condicionado, s.m.	air conditioning	aire acondicionado	Klimaanlage	climatisation
canalização, s.f.	plumbing	canalización	Kanalisation	canalisation
cano, s.m.	water pipe, drain pipe	tubería	Rohr	tuyau
contador, s.m.	meter	contador	Zähler	compteur

PORTUGUÊS	ENGLISH	ESPAÑOL	DEUTSCH	FRANÇAIS
corrente elétrica, s.f.	electric current	corriente eléctrica	Strom	courant électrique
desumidificador, s.m.	dehumidifier	deshumificador	Luftentfeuchter	déshumidificateur
energia elétrica, s.f.	electricity	energía eléctrica	elektrische Energie	énergie électrique
ficha, s.f.	electrical plug, connector	enchufe	Steckdose	prise
fio, s.m.	wire	cable	Kabel	câble
interruptor, s.m.	switch	interruptor	Schalter	interrupteur
lâmpada, s.f.	light bulb	bombilla	Glühbirne	ampoule
painel solar, s.m.	solar panel	placa solar	Sonnenkollektor	panneau solaire
pilha, s.f.	battery	pila	Batterie, Taschenlampe	pile
radiador, s.m.	radiator	radiador	Heizkörper	radiateur
termoventilador, s.m.	fan heater	termoventilador	Heizlüfter	thermoventilateur
Eletrodomésticos:	**Electrical Appliances:**	**Electrodomésticos:**	**Haushaltsgerät:**	**Electroménagers:**
batedeira, s.f.	food mixer	batidora	Schneebesen	batteur
centrifugadora, s.f.	blender	centrifugadora	Entsafter	centrifugeuse
chaleira, s.f.	kettle	tetera	Wasserkocher	théière
congelador, s.m.	freezer	congelador	Tiefkühlschrank	congélateur
esquentador, s.m.	water heater	calentador	Durchlauferhitzer	chauffe-eau
exaustor, s.m.	extractor hood	campana	Dunstabzugshaube	hotte
fogão, s.m.	stove, hob	fogón	Herd	cuisinière
forno, s.m.	oven	horno	Backofen	four
frigorífico, s.m.	refrigerator	frigorífico	Kühlschrank	réfrigérateur
liquidificador, s.m.	blender	licuadora	Standmixer	blender
máquina de café, s.f.	coffee machine	cafetera	Kaffeemaschine	machine à café
máquina de lavar-louça, s.f.	dishwasher	lavavajillas	Geschirrspüler	lave-vaisselle
micro-ondas, s.m.	microwave	microondas	Mikrowelle	micro-ondes
torradeira, s.f.	toaster	tostador	Toaster	grille-pain
tostadeira, s.f.	toasted sandwich maker	sandwichera	Sandwichmaker	machine à croque monsieur
tosteira, s.f.	toasted sandwich maker	sandwichera	Brotröster	toaster
varinha mágica, s.f.	wand blender	batidora	Pürierstab, Mixstab	mixeur

5.5. OBJETOS E PRODUTOS DE LIMPEZA E MANUTENÇÃO

PORTUGUÊS	ENGLISH	ESPAÑOL	DEUTSCH	FRANÇAIS
alguidar, s.m.	bowl	barreño	Schüssel, Wanne	bassine
amaciador, s.m.	fabric conditioner	suavizante	Weichspüler	adoucissant
arrumar, v.tr.	to tidy up	ordenar	aufräumen	ranger
aspirador, s.m.	vacuum cleaner	aspiradora	Staubsauger	aspirateur
aspirar, v.tr.	to vacuum	aspirar	staubsaugen	aspirer

PORTUGUÊS	ENGLISH	ESPAÑOL	DEUTSCH	FRANÇAIS
balde, *s.m.*	bucket	cubo	Eimer	seau
caixote do lixo, *s.m.*	dustbin, pedal bin	cubo de basura	Mülleimer	poubelle
detergente, *s.m.*	detergent	detergente	Wasch-/Spülmittel	lessive
engomar, *v.tr.*	to iron	planchar	bügeln	repasser le linge
engraxar, *v.tr.*	to shine (shoes)	abrillantar	Schuhe putzen	cirer
escadote, *s.m.*	stepladder	escalera	Leiter	escabeau
escova, *s.f.*	brush	cepillo	Bürste	brosse
escovar, *v.tr.*	to brush	cepillar	bürsten	brosser
esfregona, *s.f.*	mop	fregona	Wischmopp	balai à franges
estendal, *s.m.*	clothes dryer, clothes line	tendedero	Wäscheständer	corde à linge ou séchoir à linge
estender, *v.tr.* (a roupa)	to hang out the washing	tender la ropa	Wäsche aufhängen	étendre le linge
ferro de engomar, *s.m.*	iron (n.)	plancha	Bügeleisen	fer à repasser
graxa, *s.f.*	shoe polish	betún	Schuhcreme	cirage
lavar, *v.tr.*	to wash	lavar	waschen	laver
limpa-vidros, *s.m.*	window cleaner	limpiacristales	Glasreiniger	nettoyant vitres
limpar, *v.tr.*	to clean	limpiar	putzen	nettoyer
limpar, *v.tr.* (o pó)	to dust	limpiar el polvo	Staub wischen	faire la poussière
lixívia, *s.f.*	bleach	lejía	Lauge; Bleichmittel	eau de javelle
pá, *s.f.*	dustpan	recogedor	Kehrschaufel	pelle
pano do chão, *s.m.*	floor cloth	paño del suelo	Bodentuch	serpillère
pano do pó, *s.m.*	duster	paño del polvo	Staubtuch	chiffon à poussière
passar, *v.tr. e intr.* (a ferro)	to iron	planchar	bügeln	repasser
piaçaba, *s.m.*	lavatory brush	escobilla de váter	Toilettenbürste	brosse WC
saco do lixo, *s.m.*	bin liner	bolsa de basura	Müllsack	sac poubelle
tábua de engomar, *s.f.*	ironing board	tabla de planchar	Bügelbrett	planche à repasser
tira-nódoas, *s.m.*	stain remover	quitamanchas	Fleckenentferner	anti-tâches
varrer, *v.tr.*	to sweep	barrer	kehren	balayer
vassoura, *s.f.*	broom	escoba	Besen	balai

5.6. CAIXA DE COSTURA E CAIXA DE FERRAMENTAS

PORTUGUÊS	ENGLISH	ESPAÑOL	DEUTSCH	FRANÇAIS
Caixa de costura:	**Sewing box:**	**Caja de la costura:**	**Nähkästchen:**	**Boîte à couture:**
agulha, *s.f.*	needle	aguja	Nadel	aiguille
alfinete, *s.m.*	pin	alfiler	Stecknadel	épingle
botão, *s.m.*	button	botón	Knopf	bouton
dedal, *s.m.*	thimble	dedal	Fingerhut	dé
fecho, *s.m.*	zip fastener	cremallera	Reißverschluss	fermeture éclair

PORTUGUÊS	ENGLISH	ESPAÑOL	DEUTSCH	FRANÇAIS
linha, s.f.	thread	hilo	Faden	fil
tesoura, s.f.	scissors	tijera	Schere	ciseaux
Caixa de ferramentas:	**Toolbox:**	**Caja de herramientas:**	**Werkzeugkasten:**	**Boîte à outils:**
berbequim, s.m.	drill	taladro	Bohrmaschine	vilebrequin
chave de fendas, s.f.	screwdriver	destornillador	Schraubenzieher	tournevis
martelo, s.m.	hammer	martillo	Hammer	marteau
parafuso, s.m.	screw	tornillo	Schraube	vis
prego, s.m.	nail	clavo	Nagel	clou

1. **DE ACORDO COM O TEXTO, ASSINALE QUAIS DAS SEGUINTES AFIRMAÇÕES SÃO VERDADEIRAS OU FALSAS.**

A Luísa comprou uma casa nos arredores de Lisboa. É uma moradia geminada com um pequeno jardim à frente e um quintal atrás. Pediu um empréstimo ao banco e vai pagar a casa durante vinte e cinco anos.

	V	F
a. A Luísa alugou uma casa nos subúrbios de Lisboa.		
b. Ela comprou uma vivenda.		
c. Vai poder plantar árvores e flores.		
d. Pediu um empréstimo aos pais.		
e. A casa vai ficar paga em vinte anos.		

2. **A D. MARIA DO CARMO ESTEVE AO TELEFONE COM UMA AMIGA DURANTE UMA HORA. ENTRETANTO, O FILHO DESARRUMOU-LHE A CASA TODA. VAMOS AJUDÁ-LA A ARRUMAR A CASA E A PÔR TUDO NO SEU LUGAR. LIGUE AS DUAS COLUNAS.**

1. livros
2. roupa suja
3. papel higiénico
4. sapatos
5. louça suja
6. martelo
7. tesoura

a. caixa de costura
b. casa de banho
c. caixa de ferramentas
d. máquina de lavar roupa
e. estante
f. máquina de lavar louça
g. sapateira

3. **DESCUBRA O INTRUSO NAS SEGUINTES SÉRIES LÓGICAS.**

a. tigela, botão, agulha, linha, alfinete
b. martelo, prego, colchão, parafuso, chave de fendas
c. bidé, sanita, autoclismo, rádio, papel higiénico
d. lixívia, detergente, limpa-vidros, vassoura, chaminé
e. chávena, copo, tigela, chá, prato

4. ORGANIZE AS LETRAS DE MODO A FORMAR PALAVRAS.

    a. APNAEL

    b. HLOCER

    c. RODAHLERG

    d. AIVXÍLI

5. NO EXERCÍCIO ANTERIOR, OBTEVE O NOME DE UM/UMA:

    a.

    b.

    c.

    d.

6. COMPLETE AS PALAVRAS COM AS LETRAS EM FALTA E ENCONTRE UTENSÍLIOS E OBJETOS DE CASA DE BANHO.

    a. AU__O___LI__ __O

    b. __I___É

    c. ___AV____T___ ___I___

    d. E__PO____ ____A

    e. SA___I___A

7. SIGA O RACIOCÍNIO LÓGICO.

    A. Cama está para quarto assim como colcha está para

        a. ☐ estante.
        b. ☐ cristaleira.
        c. ☐ cama.
        d. ☐ roupeiro.

    B. Luz está para interruptor assim como livro está para

        a. ☐ armário.
        b. ☐ jardim.
        c. ☐ piscina.
        d. ☐ estante.

    C. Fogão está para cozinha assim como bidé está para

        a. ☐ quintal.
        b. ☐ sótão.
        c. ☐ casa de banho.
        d. ☐ horta.

6 CLIMA, TEMPO ATMOSFÉRICO, ALTERAÇÕES CLIMÁTICAS E AMBIENTE

6.1. CLIMA

PORTUGUÊS	ENGLISH	ESPAÑOL	DEUTSCH	FRANÇAIS
desértico, adj.	desert	desértico	wüstenartig/Wüsten-	désertique
equatorial, adj.	equatorial	ecuatorial	äquatorial	équatorial
temperado, adj.	temperate	templado	gemäßigt	tempéré
- atlântico, adj.	- Atlantic	- atlántico	- atlantisch/Atlantik-	- atlantique
- continental, adj.	- continental	- continental	- kontinental/ Kontinental-	- continental
- mediterrânico, adj.	- Mediterranean	- mediterráneo	- mediterran/Mittelmeer-	- méditerranéen
polar, adj.	polar	polar	polar/Polar-	polaire
tropical, adj.	tropical	tropical	tropisch	tropical

6.2. TEMPO ATMOSFÉRICO

PORTUGUÊS	ENGLISH	ESPAÑOL	DEUTSCH	FRANÇAIS
abafado, adj.	sultry	sofocante	drückend, schwül	lourd
aguaceiro, s.m.	shower, downpour	aguacero	Regenschauer	averse
ameno, adj.	mild	ameno	mild	doux
arrefecer, v.intr.	to grow cold	enfriar	abkühlen	refroidir
brisa, s.f.	breeze	brisa	Brise	brise
bruma, s.f.	fog	bruma	Nebel	brume
calor, s.m.	heat	calor	Wärme	chaleur
chover, v.intr.	to rain	llover	regnen	pleuvoir
chuva, s.f.	rain	lluvia	Regen	pluie
chuvisco, s.m.	drizzle	llovizna	Nieseln, Sprühregen	crachin
ciclone, s.m.	cyclone	ciclón	Zyklon	cyclone
encoberto, adj.	overcast	cubierto	bedeckt	couvert
enevoado, adj.	foggy	plomizo	nebelig	gris
ensolarado, adj.	sunny	soleado	sonnig	ensoleillé
fresco, adj.	cool	fresco	kühl	frais
frio, adj.	cold	frío	kalt	froid
furacão, s.m.	hurricane	huracán	Orkan	ouragan
geada, s.f.	hoar frost	escarcha	Frost	givre
gelo, s.m.	ice	hielo	Eis	glace
granizo, s.m.	hail(stone)	granizo	Hagel	grêle
humidade, s.f.	humidity	humedad	Feuchtigkeit	humidité
húmido, adj.	humid	húmedo	feucht	humide
neblina, s.f.	mist	neblina	Nebel	brume
nevar, v.intr.	to snow	nevar	schneien	neiger
neve, s.f.	snow	nieve	Schnee	neige

PORTUGUÊS	ENGLISH	ESPAÑOL	DEUTSCH	FRANÇAIS
nevoeiro, s.m.	fog	niebla	Nebel	brouillard
nublado, adj.	cloudy	nublado	wolkig/bewölkt	nuageux
nuvem, s.f.	cloud	nube	Wolke	nuage
orvalho, s.m.	dew	rocío	Tau	rosée
precipitação, s.f.	precipitation	precipitación	Niederschlag	précipitation
raio, s.m.	thunderbolt	rayo	Sonnenstrahl	rayon (Soleil)/foudre
rajada, s.f.	gust of wind, squall	ráfaga	Windbö	rafale
relâmpago, s.m.	lightning	relámpago	Blitz	éclair
saraiva, s.f.	hail	granizo	Graupel	grêlon
soalheiro, adj.	sun-drenched	soleado	sonnig	ensoleillé
soprar, v.intr.	to blow	soplar	wehen	souffler
temperatura, s.f.	temperature	temperatura	Temperatur	température
tempestade, s.f.	storm	tempestad	Sturm	tempête
temporal, s.m.	rainstorm	temporal	Gewitter, Unwetter	orage
tornado, s.m.	tornado	tornado	Tornado	tornade
trovão, s.m.	thunder	trueno	Donner	tonnerre
trovejar, v.intr.	to thunder	tronar	donnern	tonner
trovoada, s.f.	thunderstorm	tormenta	Gewitter	orage
tufão, s.m.	typhoon	tifón	Taifun	typhon
vendaval, s.m.	gale	vendaval	Sturmbö	bourrasque
ventania, s.f.	windstorm	ventolera	stürmischer Wind	coup de vent
vento, s.m.	wind	viento	Wind	vent

6.3. ALTERAÇÕES CLIMÁTICAS

PORTUGUÊS	ENGLISH	ESPAÑOL	DEUTSCH	FRANÇAIS
aquecimento global, s.m.	global warming	calentamiento global	Erwärmung der Erde	réchauffement global
buraco do ozono, s.m.	ozone hole	agujero de ozono	Ozonloch	trou d'ozone
camada de ozono, s.f.	ozone layer	capa de ozono	Ozonschicht	couche d'ozone
chuva ácida, s.f.	acid rain	lluvia ácida	saurer Regen	pluie acide
efeito de estufa, s.m.	greenhouse effect	efecto invernadero	Treibhauseffekt	effet de serre
emissão de gases, s.f.	gas emissions	emisión de gases	Abgasemission	émission de gaz

6.4. AMBIENTE

PORTUGUÊS	ENGLISH	ESPAÑOL	DEUTSCH	FRANÇAIS
desflorestação, s.f.	deforestation	deforestación	Entwaldung, Abholzung	déboisement
desflorestar, v.tr.	to deforest	deforestar	abholzen	déboiser
ecossistema, s.m.	ecosystem	ecosistema	Ökosystem	écosystème

PORTUGUÊS	ENGLISH	ESPAÑOL	DEUTSCH	FRANÇAIS
energia renovável, s.f.	renewable energy	energía renovable	erneuerbare Energien	énergie renouvelable
florestação, s.f.	afforestation	forestación	Bewaldung	boisement
florestar, v.tr.	to afforest	forestar	bewalden	boiser
impacto ambiental, s.m.	environmental impact	impacto ambiental	Umwelteinfluss	impact sur l'environnement
pegada ecológica, s.f.	ecological footprint	huella ecológica	ökologischer Fußabdruck	empreinte écologique
poluição, s.f.	pollution	polución	Verschmutzung	pollution
radiação, s.f.	radiation	radiación	Strahlung	radiation
raio ultravioleta, s.m.	ultraviolet ray	rayo ultravioleta	ultraviolette Strahlung	rayon ultraviolet
reciclagem, s.f.	recycling	reciclaje	Recycling	recyclage
reciclar, v.tr.	to recycle	reciclar	wieder verwerten	recycler
reflorestação, s.f.	reforestation	reforestación	Aufforstung	reboisement
reflorestar, v.tr.	to reforest	reforestar	aufforsten	reboiser
sustentabilidade, s.f.	sustainability	sostenibilidad	Nachhaltigkeit	durabilité
transgénico, adj.	transgenic	transgénico	gentechnisch verändert	transgénique

1. ORGANIZE AS LETRAS DE MODO A FORMAR PALAVRAS.

a. LTARCOIP _____

b. OFÃUCRA _____

c. OACTILTÂN _____

d. MREEGCAILC _____

2. NO EXERCÍCIO ANTERIOR, OBTEVE O NOME DE UM/UMA:

a. _____

b. _____

c. _____

d. _____

3. COMPLETE O TEXTO COM AS PALAVRAS DO QUADRO.

ozono (2x)	vida	Terra	ultravioleta	
	atmosfera	camada (2x)	sol	radiação

A camada de ozono

O _____ acumula-se principalmente na região da _____, onde é produzido, numa _____ com cerca de 15 km de espessura. A _____ de _____ desempenha um papel fundamental para a _____ na _____, ao absorver grande parte (mais de 95%) da radiação _____ proveniente do _____ que, de outro modo, atingiria a Terra. A camada de ozono é tudo o que nos protege de uma perigosa _____ proveniente do sol.

Fonte: http://www.nautilus.fis.uc.pt

4. IDENTIFIQUE QUATRO TIPOS DE CLIMA NA SEGUINTE GRELHA.

D	Z	X	Y	A	P	W	Q	E
A	X	N	Z	X	Y	K	A	B
D	E	S	E	R	T	I	C	O
T	E	M	P	E	R	A	D	O
A	S	D	F	G	O	H	J	K
Z	P	X	C	V	P	B	N	J
Q	O	W	E	R	I	T	U	I
A	L	S	D	F	C	F	G	H
J	A	K	L	C	A	Z	X	C
V	R	B	N	M	L	O	L	P

5. ORDENE AS FRASES E ORGANIZE A HISTÓRIA.

- [ ] descida da temperatura e possibilidade de chuviscos.
- [ ] para ver as previsões do tempo e
- [ ] A Ana resolveu ir à praia no fim de semana.
- [ ] Então, decidiu ficar em casa a ver televisão.
- [ ] Foi ao *site* do Instituto de Meteorologia
- [ ] ficou surpreendida:
- [ ] a previsão era de

6. ELIMINE A SÍLABA INTRUSA, ORGANIZE AS RESTANTES E ENCONTRE PALAVRAS RELACIONADAS COM O TEMPO ATMOSFÉRICO.

a. ADA	VA	VO	TRO	_____
b. ABA	DA	DO	FA	_____
c. ADO	DO	BLA	NU	_____
d. ADA	VA	DA	CHU	_____

7. COMPLETE AS PALAVRAS COM AS LETRAS EM FALTA E ENCONTRE PALAVRAS REFERENTES ÀS ALTERAÇÕES CLIMÁTICAS.

a. E__EI___O ____E E__TU___A

b. ___AMA___A ____E OZO___O

c. E__I___SÃO ____E GA___E_____

d. C____U___A Á___I____A

8. DESCUBRA O INTRUSO NAS SEGUINTES SÉRIES LÓGICAS.

a. chuva ácida, desflorestação, buraco do ozono, chuva

b. chuvisco, aguaceiro, chuva, chuva ácida

c. reciclar, reciclagem, furacão, impacto ambiental

d. ventania, vento, vendaval, ecossistema

e. frio, arrefecer, fresco, impacto ambiental

f. desértico, equatorial, polar, frio

g. transgénico, pegada ecológica, desflorestação, atlântico

9. DE ACORDO COM O TEXTO, ASSINALE QUAIS DAS SEGUINTES AFIRMAÇÕES SÃO VERDADEIRAS OU FALSAS.

Todos os dias a Alexandra vai ao *site* do Instituto Português do Mar e da Atmosfera (IPMA) para ver as previsões meteorológicas do dia seguinte. No domingo à noite, foi ao *site* e viu o agravamento das condições atmosféricas, com chuva, ventos fortes e todos os distritos sob aviso amarelo. Então, ela preparou as botas, a gabardina e o chapéu de chuva. Porém, na segunda-feira, o tempo esteve abafado, caíram alguns chuviscos e a Alexandra até teve calor.

	V	F
a. A Alexandra nunca vê como está o tempo.		
b. Ela é uma mulher prevenida.		
c. A previsão era de tempo de inverno.		
d. Ela saiu de casa de botas e impermeável.		
e. Os meteorologistas enganaram-se.		
f. Ela sentiu-se mal durante o dia.		
g. O tempo revelou-se estival e agradável.		

7 CORPO HUMANO, HIGIENE E SAÚDE

7.1. CORPO HUMANO

PORTUGUÊS	ENGLISH	ESPAÑOL	DEUTSCH	FRANÇAIS
apêndice, s.m.	appendix	apéndice	Blinddarm	appendice
boca, s.f.	mouth	boca	Mund	bouche
braço, s.m.	arm	brazo	Arm	bras
cabeça, s.f.	head	cabeza	Kopf	tête
cabelo, s.m.	hair	cabello	Haar	cheveu
calcanhar, s.m.	heel	talón	Ferse	talon
cara, s.f.	face	cara	Gesicht	visage
cérebro, s.m.	brain	cerebro	Gehirn	cerveau
cintura, s.f.	waist	cintura	Taille	taille
coração, s.m.	heart	corazón	Herz	cœur
costas, s.f.pl.	back	espalda	Rücken	dos
costela, s.f.	rib	costilla	Rippe	côte
cotovelo, s.m.	elbow	codo	Ellbogen	coude
coxa, s.f.	thigh	muslo	Oberschenkel	cuisse
crânio, s.m.	skull	cráneo	Schädel	crâne
dedo, s.m.	finger	dedo	Finger	doigt
dente, s.m.	tooth	diente	Zahn	dent
esqueleto, s.m.	skeleton	esqueleto	Skelett	squelette
estômago, s.m.	stomach	estómago	Magen	estomac
face, s.f.	face	tez	Gesicht, Angesicht	visage
fígado, s.m.	liver	hígado	Leber	foie
fronte, s.f.	forehead	frente	Stirn	front
garganta, s.f.	throat	garganta	Kehle	gorge
intestino, s.m.	intestine	intestino	Darm	intestin
joelho, s.m.	knee	rodilla	Knie	genou
lábio, s.m.	lip	labio	Lippe	lèvre
língua, s.f.	tongue	lengua	Zunge	langue
mão, s.f.	hand	mano	Hand	main
músculo, s.m.	muscle	músculo	Muskel	muscle
nariz, s.m.	nose	nariz	Nase	nez
olho, s.m.	eye	ojo	Auge	œil
ombro, s.m.	shoulder	hombro	Schulter	épaule
orelha, s.f.	ear	oreja	Ohr	oreille
osso, s.m.	bone	hueso	Knochen	os
ouvido, s.m.	ear	oído	Ohr, Gehör	oreille
pé, s.m.	foot	pie	Fuß	pied
peito, s.m.	chest	pecho	Brust	poitrine

PORTUGUÊS	ENGLISH	ESPAÑOL	DEUTSCH	FRANÇAIS
pele, s.f.	skin	piel	Haut	peau
perna, s.f.	leg	pierna	Bein	jambe
pescoço, s.m.	neck	cuello	Hals	cou
pestana, s.f.	eyelash	pestaña	Wimper	cil
pulmão, s.m.	lung	pulmón	Lunge	poumon
pulso, s.m.	wrist	muñeca	Handgelenk, Puls	poignet
queixo, s.m.	chin	barbilla	Kinn	menton
rim, s.m.	kidney	riñón	Niere	rein
rosto, s.m.	face	rostro	Gesicht	visage
sangue, s.m.	blood	sangre	Blut	sang
sobrancelha, s.f.	eyebrow	ceja	Augenbraue	sourcil
testa, s.f.	forehead	frente	Stirn	front
tornozelo, s.m.	ankle	tobillo	Knöchel	cheville
tronco, s.m.	trunk	tronco	Oberkörper, Rumpf	tronc
umbigo, s.m.	belly button	ombligo	Bauchnabel	nombril
unha, s.f.	nail	uñas	Finger-/Zehennagel	ongle

7.2. DORES, DOENÇAS E ESPECIALISTAS

PORTUGUÊS	ENGLISH	ESPAÑOL	DEUTSCH	FRANÇAIS
adoecer, v.intr.	to fall ill	caer enfermo	erkranken	tomber malade
adoentado, adj.	ill	enfermo	erkrankt	malade
agoniado, adj.	in agony	mareado	übel sein	ecœuré
alergia, s.f.	allergy	alergia	Allergie	allergie
alergologia, s.f.	allergology	alergología	Allergologie	allergologie
anemia, s.f.	anaemia	anemia	Anämie	anémie
asma, s.f.	asthma	asma	Asthma	asthme
cardíaco, adj. e s.m.	cardiac	cardiaco	Herz-	cardiaque
cardiologista, s.m. e f.	cardiologist	cardiólogo	Kardiologe	cardiologue
constipação, s.f.	cold	constipado	Erkältung, Schnupfen	rhume
constipado, adj.	to have a cold	constipado	erkältet	enrhumé
corte, s.m.	cut	corte	Schnitt	coupure
dentista, s.m. e f.	dentist	dentista	Zahnarzt	dentiste
dermatologista, s.m. e f.	dermatologist	dermatólogo	Hautarzt	dermatologue
desmaiar, v.tr. e intr.	to faint	desmayarse	in Ohnmacht fallen	s'évanouir
diabetes, s.m. e f.pl.	diabetes	diabetes	Diabetes	diabète
diabético, adj. e s.m.	diabetic	diabético	diabetisch, Diabetiker	diabétique
diarreia, s.f.	diarrhoea	diarrea	Durchfall	diarrhée

PORTUGUÊS	ENGLISH	ESPAÑOL	DEUTSCH	FRANÇAIS
doença, s.f.	illness	enfermedad	Krankheit	maladie
doente, adj., s.m. e f.	ill/patient	enfermo	krank	malade
doer, v.intr. e pron.	to hurt	doler	schmerzen	faire mal
dor, s.f.	pain	dolor	Schmerz	douleur
enxaqueca, s.f.	migraine	jaqueca	Migräne	migraine
estar	to be	estar	sein	être
- constipado, adj.	- to have a cold	- resfriado	- erkältet	- enrhumé
- maldisposto, adj.	- feel unwell	- indispuesto	- schlecht sein	- indisposé
- com gripe, s.f.	- have flu	- tener gripe	- Grippe	- avoir la gripe
- com febre, s.f.	- a temperature	- fiebre	- Fieber	- fiévreux
- com diarreia, s.f.	- to have diarrhoea	- diarrea	- Durchfall haben	- avoir de la diarrhée
estômago, s.m.	stomach	estómago	Magen	estomac
estomatologia, s.f.	stomatology	estomatología	Stomatologie	stomatologie
febre, s.f.	fever	fiebre	Fieber	fièvre
ferida, s.f.	wound	herida	Wunde	plaie
ferido, s.m. e adj.	injury victim/injured	herido	Verletzter, verletzt	blessé
ferimento, s.m.	injury	lesión	Verletzung	blessure
ginecologista, s.m. e f.	gynaecologist	ginecólogo	Frauenarzt	gynécologue
gripe, s.f.	flu	gripe	Grippe	grippe
infeção, s.f.	infection	infección	Infektion	infection
inflamação, s.f.	inflammation	inflamación	Entzündung	inflammation
intoxicação alimentar, s.f.	food poisoning	intoxicación alimentaria	Lebensmittelvergiftung	intoxication alimentaire
neurologista, s.m. e f.	neurologist	neurólogo	Neurologe	neurologue
oftalmologista, s.m. e f.	ophthalmologist	oftalmólogo	Augenarzt	ophtalmologue
ortopedia, s.f.	orthopaedics	ortopedia	Orthopädie	orthopédie
ortopedista, s.m. e f.	orthopaedist	ortopeda	Orthopäde	orthopédiste
otorrinolaringologista, s.m. e f.	eye, nose and throat (ENT) doctor	otorrinolaringólogo	Hals-Nasen-Ohren-Arzt	otorhinolaryngologie
pálido, adj.	pallid	pálido	blass	pâle
parteira, s.f.	midwife	matrona	Hebamme	sage-femme
pediatra, s.m. e f.	paediatrician	pediatra	Kinderarzt	pédiatre
prisão de ventre, s.f.	constipation	estreñimiento	Verstopfung	constipation
psiquiatra, s.m. e f.	psychiatrist	psiquiatra	Psychiater	psychiatre
reumático, s.m.	rheumatism	reumático	Rheumatiker	rhumatisme
reumatologia, s.f.	rheumatology	reumatología	Rheumatologie	rhumatologie
sangue, s.m.	blood	sangre	Blut	sang
saudável, adj.	healthy	saludable	gesund	sain, en bonne santé
saúde, s.f.	health	salud	Gesundheit	santé

PORTUGUÊS	ENGLISH	ESPAÑOL	DEUTSCH	FRANÇAIS
sentir-se mal, *v.refl.*	to feel unwell	sentirse mal	unwohl sein	avoir un malaise
SIDA, *s.f.*	AIDS	SIDA	AIDS	sida
tontura, *s.f.*	dizziness	mareo	Schwindel	vertige
tosse, *s.f.*	cough	tos	Husten	toux
tossir, *v.tr. e intr.*	to cough	toser	husten	tousser
tumor, *s.m.*	tumour	tumor	Tumor	tumeur
úlcera, *s.f.*	ulcer	úlcera	Geschwür	ulcère
urologista, *s.m. e f.*	urologist	urólogo	Urologe	urologue
vomitar, *v.tr. e intr.*	to vomit	vomitar	erbrechen	vomir
vómito, *s.m.*	vomit	vómito	Erbrechen	vomissement

7.3. ESPAÇOS DE ATENDIMENTO

7.3.1. Hospital, centro de saúde e gabinete médico

PORTUGUÊS	ENGLISH	ESPAÑOL	DEUTSCH	FRANÇAIS
ambulância, *s.f.*	ambulance	ambulancia	Krankenwagen	ambulance
análise, *s.f.*	analysis	análisis	Analyse	analyse
anestesia, *s.f.*	anaesthesia	anestesia	Anästhesie	anesthésie
cadeira de rodas, *s.f.*	wheelchair	silla de ruedas	Rollstuhl	chaise roulante
cirurgia, *s.f.*	surgery	cirugía	Chirurgie	chirurgie
consulta, *s.f.*	appointment	consulta	Sprechstunde	consultation
consultório, *s.m.*	doctor's surgery	consulta	Praxis	cabinet médical
ecografia, *s.f.*	scan	ecografía	Ultraschall	echographie
eletrocardiograma, *s.m.*	electrocardiogram	electrocardiograma	EKG	électrocardiogramme
estetoscópio, *s.m.*	stethoscope	estetoscopio	Stethoskop	stéthoscope
injeção, *s.f.*	injection	inyección	Spritze	injection
maca, *s.f.*	stretcher	camilla	Tragbahre	brancard
operação, *s.f.*	operation	operación	Operation	opération
operar, *v.tr.*	to operate	operar	operieren	opérer
penso, *s.m.*	plaster	cura	Verband, Pflaster	pansement
radiografia, *s.f.*	x-ray	radiografía	Radiographie	radiographie
raio x, *s.m.*	x-ray	rayos X	Röntgenaufnahme	rayon x
sala de espera, *s.f.*	waiting room	sala de espera	Wartesaal	salle d'attente
TAC, *s.f.*	CAT	TAC	Computertomographie	scanner
transfusão, *s.f.*	transfusion	transfusión	Transfusion	transfusion
triagem, *s.f.*	triage	triage	Triage	triage
urgências, *s.f.pl.*	emergency department	urgencias	Notaufnahme	urgences

PORTUGUÊS	ENGLISH	ESPAÑOL	DEUTSCH	FRANÇAIS
urina, *s.f.*	urine	orina	Urin	urine
vacina, *s.f.*	vaccine	vacuna	Impfung	vaccin

7.3.2. Farmácia

PORTUGUÊS	ENGLISH	ESPAÑOL	DEUTSCH	FRANÇAIS
água-oxigenada, *s.f.*	hydrogen peroxide	agua oxigenada	Wasserstoffperoxyd	eau oxygénée
álcool, *s.m.*	alcohol	alcohol	Alkohol	alcool
analgésico, *s.m.*	painkiller	analgésico	Analgetikum	analgésique
antibiótico, *s.m.*	antibiotic	antibiótico	Antibiotikum	antibiotique
aspirina, *s.f.*	aspirin	aspirina	Aspirin	aspirine
aviar, *v.tr.* (uma receita)	to provide a prescription	recetar	ein Rezept vorlegen	acheter une ordonnance
cápsula, *s.f.*	tablet	cápsula	Kapsel	gélule
comprimido, *s.m.*	pill	comprimido	Tablette	comprimé
embalagem, *s.f.*	package	envase	Verpackung	boîte
farmacêutico, *s.m.*	pharmacist	farmacéutico	Apotheker	pharmacien
gotas, *s.f.pl.*	drops	gotas	Tropfen	goutes
insulina, *s.f.*	insulin	insulina	Insulin	insuline
medicamento, *s.m.*	medicine	medicamento	Arzneimittel	médicament
paracetamol, *s.m.*	paracetamol	paracetamol	Paracetamol	paracétamol
penso rápido, *s.m.*	plaster, Band-Aid	tirita	Pflaster	pansement rapide
pílula, *s.f.*	pill	píldora	Pille	pilule
pomada, *s.f.*	lotion	pomada	Pomade	pommade
preservativo, *s.m.*	condom	preservativo	Kondom	préservatif
receita, *s.f.*	prescription	receta	Rezept	prescription
seringa, *s.f.*	syringe	jeringa	Spritze	seringue
soro, *s.m.*	serum	suero	Serum	sérum
supositório, *s.m.*	suppository	supositorio	Zäpfchen	suppositoire
termómetro, *s.m.*	thermometer	termómetro	Thermometer	thermomètre
xarope, *s.m.*	syrup	jarabe	(Husten)Saft	sirop

7.4. ESTÉTICA E BEM-ESTAR

PORTUGUÊS	ENGLISH	ESPAÑOL	DEUTSCH	FRANÇAIS
arranjar, *v.tr.* (as unhas)	to do one's nails	arreglarse las uñas	sich die Nägel machen lassen	se faire les ongles
arranjar, *v.tr.* (o cabelo)	to do one's hair	arreglarse el pelo	sich die Haare frisieren lassen	aller chez le coiffeur
banho turco, *s.m.*	Turkish bath	baño turco	türkisches Dampfbad	bain turc

PORTUGUÊS	ENGLISH	ESPAÑOL	DEUTSCH	FRANÇAIS
barbeiro, s.m.	barber's	barbero	Barbier	barbier
cabeleireiro, s.m.	hairdresser's	peluquería	Frisör	coiffeur
cirurgia plástica, s.f.	plastic surgery	cirugía estética	Schönheitsoperation	chirurgie plastique
cortar, v.tr. (o cabelo)	to have one´s hair cut	cortarse el pelo	Hare scheiden	couper les cheveux
depilação, s.f.	hair removal	depilación	Depilation	épilation
drenagem, s.f.	drainage	drenaje	Drainage	drainage
esfoliação, s.f.	exfoliation	exfoliación	Peeling	exfoliation
esteticista, s.m. e f.	beautician	esteticista	Kosmetikerin	esthéticienne
fazer, v.tr. (uma mise)	to have a perm	peinarse com rulos	eine Dauerwelle machen; die Haare legen	faire une mise en plis
ir, v.tr. (ao barbeiro)	to visit the barber´s	ir al barbero	zum Herrenfrisör gehen	aller chez le coiffeur-barbier
ir, v.tr. (ao cabeleireiro)	to visit the hairdresser´s	ir al peluquero	Schönheitssalon	allez chez le coiffeur
lipoaspiração, s.f.	liposuction	liposucción	Fettabsaugung	lipoaspiration
manicure, s.f.	manicure	manicura	Maniküre	manucure
maquilhagem, s.f.	make-up	maquillaje	Make-up	maquillage
maquilhar-se, v.tr. e pron.	to put on make-up	maquillarse	sich schminken	se maquiller
massagem, s.f.	massage	masaje	Massage	massage
massagista, s.m. e f.	masseur/masseuse	masajista	Masseur/in	masseur
pedicure, s.f.	chiropody	pedicura	Pediküre	pédicure
penteado, s.m.	hair styling	peinado	Frisur	coiffure
salão de beleza, s.m.	beauty salon	salón de belleza	Schönheitssalon	salon de beauté
sauna, s.f.	sauna	sauna	Sauna	sauna
spa, s.m.	spa	spa	Spa	Spa
termas, s.f.pl.	natural springs	termas	Therme	thermes

1. COMPLETE AS FRASES COM AS PALAVRAS DO QUADRO.

a cabeça	os ouvidos	o peito	a garganta
as pernas	a barriga	os pés	as costas

a. Dói-me

_____

_____

_____

b. Doem-me

_____

_____

_____

2. RELACIONE A COLUNA DA ESQUERDA COM A DA DIREITA.

1. otite
2. amigdalite
3. infeção respiratória
4. diarreia
5. febre
6. auscultar
7. receita

a. termómetro
b. farmácia
c. intestinos
d. estetoscópio
e. garganta
f. pulmões
g. ouvidos

3. DESCUBRA O INTRUSO NAS SEGUINTES SÉRIES LÓGICAS.

a. dor de cabeça, dor de ouvidos, dor de cotovelo, dor de costas
b. febre, tonturas, vómitos, ambulância
c. garganta, gargantilha, pescoço, orelhas
d. alergia, alegre, otite, pneumonia

4. ORDENE AS FRASES E ORGANIZE A HISTÓRIA.

☐ disse-lhe que era *stress*
☐ e foi ao centro de saúde
☐ ao sangue e à urina,
☐ A Rita sentiu-se mal
☐ da sua área de residência.
☐ e recomendou-lhe tirar férias,
☐ O médico auscultou-a e mediu-lhe a tensão,
☐ descansar, comer e dormir bem.
☐ mandou-a fazer análises

5. LIGUE AS COLUNAS A, B E C DE MODO A FORMAR FRASES E DE SEGUIDA ESCREVA-AS.

A	B	C
Os médicos de família	é a especialidade que trata	com antibiótico.
A gastrenterologia	dão consulta	no atendimento hospitalar.
A estomatologia	têm prioridade	no centro de saúde.
A amigdalite	trata-se	que trata dos dentes.
Os doentes diabéticos	é a especialidade	doenças do aparelho digestivo.

a. _____

b. _____

c. _____

d. _____

e. _____

6. IDENTIFIQUE ONZE PARTES DO CORPO NA SEGUINTE GRELHA.

Q	W	E	R	T	N	U	I	O
P	C	O	S	T	A	S	A	S
D	O	F	G	B	R	A	Ç	O
H	R	I	M	J	I	K	L	C
C	A	R	A	Z	Z	P	X	A
O	Ç	C	O	B	N	E	M	B
X	Ã	P	Q	W	E	R	T	E
A	O	É	Y	U	I	N	P	L
A	S	D	F	R	C	A	B	O

7. DE ACORDO COM O TEXTO, ASSINALE QUAIS DAS SEGUINTES AFIRMAÇÕES SÃO VERDADEIRAS OU FALSAS.

O André foi à farmácia aviar uma receita de um antibiótico. O farmacêutico pediu-lhe o cartão de utente, mas como o André não o tinha na carteira, teve de ir a casa buscá-lo!

	V	F
a. O André foi à farmácia buscar uma receita.		
b. O farmacêutico pediu-lhe o cartão de cidadão.		
c. O André tinha o cartão na carteira.		
d. O André foi a casa buscar o cartão de utente.		

8. RELACIONE O VOCABULÁRIO COM CADA UMA DAS ESPECIALIDADES OU PROFISSÕES MÉDICAS.

1. comprimido, xarope, pomada
2. estômago, intestinos, fígado
3. ossos, esqueleto, próteses
4. óculos, lentes de contacto, óculos de sol
5. garganta, ouvidos, nariz
6. injeção, termómetro, maca
7. anestesia, operação, injeção

a. anestesista
b. enfermeiro
c. farmacêutico
d. ortopedista
e. oculista
f. otorrinolaringologista
g. gastroenterologia

9. COMPLETE O TEXTO COM AS PALAVRAS DO QUADRO.

termas	tratamentos	termal
água	anti-stress	massagens

Sobre as termas

Com séculos de utilização, os _____ termais definem-se como um conjunto de técnicas que ligam o contacto da _____ mineral com outros meios de tratamento. Muitos portugueses procuram o bem-estar _____ para tratamentos preventivos, revitalizantes e _____. As _____ oferecem também estadias que contemplam o descanso físico, psíquico, emocional e tratamentos de beleza e estéticos, _____, saunas e banhos turcos.

Fonte: http://www.termasdeportugal.pt

8 DESPORTO

8.1. MODALIDADES

PORTUGUÊS	ENGLISH	ESPAÑOL	DEUTSCH	FRANÇAIS
alpinismo, s.m.	mountaineering	alpinismo	Bergsteigen	alpinisme
andar, v.tr. (a cavalo)	horse riding	montar a caballo	reiten	monter à cheval
andebol, s.m.	handball	balonmano	Handball	handball
artes marciais, s.f.pl.	martial arts	artes marciales	Kampfsport	arts martiaux
atletismo, s.m.	athletics	atletismo	Leichtathletik	athlétisme
automobilismo, s.m.	motor racing	automovilismo	Auto- und Motorsport	automobilisme
badminton, s.m.	badminton	bádminton	Badminton	badminton
basebol, s.m.	baseball	béisbol	Baseball	baseball
basquetebol, s.m.	basketball	baloncesto	Basketball	basketball
boxe, s.m.	boxing	boxeo	Boxen	boxe
campismo, s.m.	camping	acampada	Camping	camping
canoagem, s.f.	canoeing	piragüismo	Kanu	canoë-kayak
ciclismo, s.m.	cycling	ciclismo	Radsport	cyclisme
escalada, s.f.	rock climbing	escalada	Klettern	escalade
esgrima, s.f.	fencing	esgrima	Fechten	escrime
esqui, s.m.	skiing	esquí	Skifahren	ski
futebol, s.m.	football	fútbol	Fußball	football
futsal, s.m.	5-a-side football	fútbol sala	Hallenfußball	football en salle
ginástica, s.f. (de manutenção/rítmica)	gymnastics (keep fit/rhythmic)	gimnasia (de mantenimiento/rítmica)	Turnen (Fitness/rhythmische Sportgymnastik)	gymnastique (fitness/gymnastique rythmique)
golfe, s.m.	golf	golf	Golf	golf
hipismo, s.m.	equestrianism	hípica	Springreiten	hippisme
hóquei em patins, s.m.	roller hockey	hockey sobre patines	Rollhockey	rink hockey
mergulho, s.m.	diving	buceo/submarinismo	Tauchen	plongée
montanhismo, s.m.	mountaineering	montañismo	Bergsteigen	alpinisme
motociclismo, s.m.	motorcycling	motociclismo	Motorradrennen	motocyclisme
musculação, s.f.	bodybuilding	musculación	Bodybuilding	musculation
natação, s.f.	swimming	natación	Schwimmen	natation
patinagem, s.f.	skating	patinaje	Schlittschuhlaufen	patinage
pilates, s.m.	pilates	pilates	Pilates	pilates
râguebi, s.m.	rugby	rugby	Rugby	rugby
remo, s.m.	rowing	remo	Rudern	aviron
snowbord, s.m.	snowboarding	snowboard	Snowboarden	snowboard
surfe, s.m.	surfing	surf	Surfen	surf
ténis de mesa, s.m.	table tennis	tenis de mesa	Tischtennis	ping-pong
ténis, s.m.	tennis	tenis	Tennis	tennis
tiro, s.m.	shooting	tiro	Sportschießen	tir sportif

PORTUGUÊS	ENGLISH	ESPAÑOL	DEUTSCH	FRANÇAIS
vela, *s.f.*	sailing	vela	Segeln	voile
windsurf, s.m.	windsurfing	windsurf	Windsurfen	windsurf

8.2. ESPAÇOS

PORTUGUÊS	ENGLISH	ESPAÑOL	DEUTSCH	FRANÇAIS
academia, *s.f.*	academy	academia	Sportakademie	académie de sport
autódromo, *s.m.*	motor racing circuit	autódromo	Rennstrecke	autodrome
balneário, *s.m.*	changing room	balneario	Umkleidekabine	vestiaire
centro de estágio, *s.m.*	training centre	centro de entrenamiento	Trainingslager	centre d'entraînements
estádio, *s.m.*	stadium	estadio	Stadion	stade
ginásio, *s.m.*	gym	gimnasio	Fitnessstudio	gymnase
hipódromo, *s.m.*	racecourse	hipódromo	Pferderennbahn	hippodrome
pavilhão, *s.m.* (polidesportivo)	sports centre	pabellón (polideportivo)	Sporthalle (Sportplatz)	salle omnisports (terrain de sport)
picadeiro, *s.m.*	riding school	picadero	Reithalle/-platz	course d'équitation
piscina, *s.f.*	swimming pool	piscina	Schwimmbecken	piscine
pista, *s.f.*	track	pista	Bahn	course
ringue, *s.m.*	skating rink	pista de patinaje	Hockey-/Eislaufbahn/ Boxring	rink
vestiário, *s.m.*	changing room	vestuario	Umkleidekabine	vestiaire

8.3. FUTEBOL

PORTUGUÊS	ENGLISH	ESPAÑOL	DEUTSCH	FRANÇAIS
adepto, *s.m. e adj.*	fan	aficionado	Fan	fan
apito, *s.m.*	whistle	silbato	Trillerpfeife	sifflet
apoiante, *s.m. e f., adj.*	supporter	hincha	Anhänger	supporter
arbitragem, *s.f.*	refereeing	arbitraje	Spielaufsicht/ Schiedsrichten	arbitrage
árbitro, *s.m.*	referee	árbitro	Schiedsrichter	arbitre
avançado, *s.m.*	forward (n.)	delantero	Stürmer	avant-centre
baliza, *s.f.*	goal (posts)	portería	Tor	but
campeonato, *s.m.*	championship	campeonato	Meisterschaft	championnat
campo, *s.m.*	pitch	campo	Feld	terrain de jeu
cartão, *s.m.* (amarelo/ vermelho)	card (yellow/red)	tarjeta (amarilla/roja)	Karte (gelb/rot)	carton (jaune/rouge)
claque, *s.f.*	supporters club	seguidores	Fangemeinde	groupe de supporters
clube, *s.m.*	club	club	Verein	club
defesa, *s.f.*	defence	defensa	Verteidigung	défense

PORTUGUÊS	ENGLISH	ESPAÑOL	DEUTSCH	FRANÇAIS
equipa, s.f.	team	equipo	Mannschaft	équipe
estádio, s.m.	stadium	estadio	Stadion	stade
fora de jogo, s.m.	offside	fuera de juego	Abseits	hors-jeu
futebolista, s.m. e f.	footballer	futbolista	Fußballer	footballer
golo, s.m.	goal (score)	gol	Tor	but
guarda-redes, s.m. e f.	goalkeeper	portero	Torwart	gardien de but
jogo, s.m.	game	partido	Spiel	jeu
marcar, v.tr. (golo)	to score a goal	marcar gol	Tor schießen	marquer un but
partida, s.f.	match	partido	Spiel	match
relvado, s.m.	pitch, playing surface	césped	Rasen	pelouse
seleção nacional, s.f.	national team	selección nacional	Nationalmannschaft	sélection nationale
ser, v.tr. (selecionado)	to be selected	ser seleccionado	ausgewählt werden	être sélectionné
treinador, s.m.	trainer	entrenador	Trainer	entraîneur
fato de treino, s.m.	tracksuit	chándal	Trainingsanzug	survêtement

1. COMPLETE O DIÁLOGO COM AS PALAVRAS DO QUADRO.

admissão	ginásio	máquinas
musculação	modalidade	manutenção

À porta de um ginásio:

— Olá, viva, por aqui?

— Pois é. Venho saber as condições de _____. Andas aqui?

— Sim, no _____, na sala de _____. É o ideal para mim. Venho quando me dá jeito, a qualquer hora do dia e qualquer dia da semana.

— Eu não gosto muito de estar ali sozinha com as _____... Prefiro uma _____ em grupo, aulas com música...

— Ah, então tens aqui muito por onde escolher: ginástica de _____, pilates, dança-jazz... Aqui existem todas as modalidades e para todos os gostos: em grupo, em pares, sozinhos...

— Bem, tenho de ir, estou na minha hora de almoço. Mas, vamos ver-nos por aqui. Até podíamos combinar um café no bar do ginásio.

— Claro!

— Então, está combinado. Assim que me inscrever, digo-te. Adeus.

— Adeus.

2. ELIMINE A SÍLABA INTRUSA, ORGANIZE AS RESTANTES E ENCONTRE VOCABULÁRIO REFERENTE A MODALIDADES DESPORTIVAS.

a. PIS   HI   PA   MO   _____

b. MA   MO   ES   GRI   _____

c. XE   BA   BO   _____

d. ES   QUE   QUI   _____

e. MO   TIS   TLE   TE   A   _____

f. BAL   FU   BOL   TE   _____

g. CA   NÁS   TU   TI   GI   _____

3. DE ACORDO COM O TEXTO, ASSINALE QUAIS DAS SEGUINTES AFIRMAÇÕES SÃO VERDADEIRAS OU FALSAS.

A Laura estava a engordar muito e a médica dela recomendou-lhe vivamente que praticasse desporto. Então, ela decidiu ir para um ginásio. Inscreveu-se e comprou a roupa necessária: um fato de treino e um bom par de ténis! Estava pronta para ir todos os dias à aula de manutenção.

	V	F
a. A Laura estava a ganhar peso.		
b. Ela começou a praticar natação.		
c. A Laura inscreveu-se num ginásio.		
d. Ela vai praticar um desporto de grupo.		
e. A Laura vai entrar em competições.		
f. Ela foi comprar vestuário próprio.		

4. ORDENE AS FRASES E ORGANIZE A HISTÓRIA.

☐ Lá em casa só se fala de

☐ na seleção nacional portuguesa,

☐ o irmão do João é guarda-redes.

☐ árbitros, campeonatos e golos!

☐ a mãe faz parte da claque de um famoso clube de Lisboa e

☐ Mas, o João gosta é de basquetebol...

☐ O pai do João foi jogador de futebol

5. ELIMINE A SÍLABA INTRUSA, ORGANIZE AS RESTANTES E ENCONTRE PALAVRAS RELACIONADAS COM FUTEBOL.

a. LI   LA   BA   ZA   _____

b. A   TO   O   PI   _____

c. ÁR   TRO   BA   BI   _____

d. DOR   NA   NO   TREI   _____

6. COMPLETE O TEXTO COM AS PALAVRAS DO QUADRO.

| melhores | razão | jogadores | futebol |
| movimenta | popularidade | treinadores | desporto |

O futebol é o _____ mais popular em Portugal e aquele que _____ mais dinheiro e mais paixões. A _____ de tanta _____ prende-se com o facto de termos _____ e _____ muito bons: os _____ do mundo! E neles projetamos o nosso próprio sucesso coletivo. Isso faz do _____ o desporto rei, eleito pelos portugueses.

7. DESCUBRA O INTRUSO NAS SEGUINTES SÉRIES LÓGICAS.

a. remo, tiro, surfe, vela, canoagem

b. estádio, ginásio, pilates, pavilhão

c. andebol, avançado, baliza, defesa

d. badminton, manutenção, rítmica, pilates

9 ENSINO

9.1. ESCOLA

9.1.1. Sala de aula

PORTUGUÊS	ENGLISH	ESPAÑOL	DEUTSCH	FRANÇAIS
agrafador, s.m.	stapler	grapadora	Hefter	agrafeuse
aluno, s.m.	pupil	alumno	Schüler	élève
apagador, s.m.	eraser	borrador	Tafelreiniger	effaceur
apara-lápis, s.m.	pencil sharpener	sacapuntas	Spitzer	taille-crayon
atlas, s.m.	atlas	atlas	Atlas	atlas
bloco, s.m.	notepad	libreta	Notizblock	bloc-notes
borracha, s.f.	rubber	goma	Radiergummi	gomme
cadeira, s.f.	chair	silla	Stuhl	chaise
caderno, s.m. (pautado/liso/quadriculado)	exercise book (lined/plain/squared)	cuaderno (de rayas/liso/cuadriculado)	Heft (liniert/weiß/kariert)	cahier (ligné/lisse/quadrillé)
calculadora, s.f.	calculator	calculadora	Taschenrechner	calculatrice
caneta, s.f.	pen	bolígrafo	Kugelschreiber	stylo
carteira, s.f.	school desk	pupitre	Schultisch	bureau
cesto de papéis, s.m.	wastepaper basket	papelera	Papierkorb	corbeille
cola, s.f.	glue	cola	Kleber	colle
compasso, s.m.	compass	compás	Zirkel	compas
dicionário, s.m.	dictionary	diccionario	Wörterbuch	dictionnaire
dossiê, s.m.	file	expediente	Ordner	dossier
enciclopédia, s.f.	encyclopaedia	enciclopedia	Enzyklopädie	encyclopédie
esferográfica, s.f.	ballpoint pen	bolígrafo	Kugelschreiber	stylo-bille
esquadro, s.m.	set square	escuadra	Geodreieck	équerre
estante, s.f.	bookcase	estantería	Bücherregal	étagère
estojo, s.m.	pencil case	estuche	Federmappe	trousse
fotocopiadora, s.f.	photocopier	fotocopiadora	Kopierer	photocopieuse
furador, s.m.	punch	perforador	Locher	perforatrice
giz, s.m.	chalk	tiza	Kreide	craie
globo, s.m.	globe	globo terráqueo	Globus	globe terrestre
lápis, s.m. (de cor)	pencil (crayon)	lápiz (de color)	Bleistift (Farbstift)	crayon (crayon de couleur)
lapiseira, s.f.	propelling pencil	portaminas	Drehbleistift	porte-mine
mapa, s.m.	map	mapa	Landkarte	carte
marcador, s.m.	marker	rotulador	Textmarker	surligneur
mochila, s.f.	satchel	mochila	Rucksack	cartable
pasta, s.f.	folder	carpeta	Aktentasche	classeur
planisfério, s.m.	world map	planisferio	Weltkarte	planisphère
ponteiro, s.m.	pointer	puntero	Zeigestock	baguette

PORTUGUÊS	ENGLISH	ESPAÑOL	DEUTSCH	FRANÇAIS
quadro, s.m.	chalkboard	pizarra	Tafel	ardoise
régua, s.f.	ruler	regla	Lineal	règle
secretária, s.f.	desk	escritorio	Schreibtisch	bureau

9.2. UNIVERSIDADE

9.2.1. Cursos

PORTUGUÊS	ENGLISH	ESPAÑOL	DEUTSCH	FRANÇAIS
Arqueologia, s.f.	Archaeology	Arqueología	Archäologie	Archéologie
Arquitetura, s.f.	Architecture	Arquitectura	Architektur	Architecture
Arte, s.f.	Fine Art	Arte	Kunst	Beaux-arts
Biologia, s.f.	Biology	Biología	Biologie	Biologie
Ciências, s.f.pl.	Natural Sciences	Ciencias	Naturwissenschaften	Sciences
Ciências Informáticas, s.f.pl.	Computer Science	Ciencias Informáticas	Informatik	Informatique
Ciências Políticas, s.f.pl.	Political Science	Ciencias Políticas	Politikwissenschaft	Sciences Politiques
Comunicação Social, s.f.	Media Studies	Comunicación Social	Kommunikationswissens-chaft	Sciences de Communi-cation
Contabilidade, s.f.	Accountancy	Contabilidad	Buchhaltung	Comptabilité
Direito, s.m.	Law	Derecho	Jura	Droit
Economia, s.f.	Economics	Economía	Wirtschaftswissenschaft	Economie
Engenharia, s.f.	Engineering	Ingeniería	Ingenieurwissenschaften	Ingénierie
Filosofia, s.f.	Philosophy	Filosofía	Philosophie	Philosophie
Física, s.f.	Physics	Física	Physik	Physique
Geografia, s.f.	Geography	Geografía	Geographie	Géographie
Geologia, s.f.	Geology	Geología	Geologie	Géologie
Gestão, s.f.	Management	Gestión	Betriebswirtschaftslehre	Gestion
História, s.f.	History	Historia	Geschichte	Histoire
História de Arte, s.f.	History of Art	Historia del Arte	Kunstgeschichte	Histoire de l'Art
Literatura, s.f. (Portuguesa/Inglesa Francesa/Alemã)	Literature (Portuguese/English/French/German)	Literatura (Portuguesa/Inglesa/Francesa/Alemana)	Literaturwissenschaft (portugiesische/englische französische/deutsche)	Littérature (portugaise/anglaise/française/allemande)
Medicina, s.f.	Medicine	Medicina	Medizin	Médecine
Medicina Dentária, s.f.	Dentistry	Medicina Dental	Zahnmedizin	Médicine Dentaire
Música, s.f.	Music	Música	Musikwissenschaften	Musique
Psicologia, s.f.	Psychology	Psicología	Psychologie	Psychologie
Química, s.f.	Chemistry	Química	Chemie	Chimie
Relações Internacionais, s.f.pl.	International Relations	Relaciones Internacionales	Internationale Beziehungen	Affaires Internationales
Sociologia, s.f.	Sociology	Sociología	Soziologie	Sociologie

PORTUGUÊS	ENGLISH	ESPAÑOL	DEUTSCH	FRANÇAIS
Teologia, s.f.	Theology	Teología	Theologie	Théologie
Veterinária, s.f.	Veterinary Science	Veterinaria	Tiermedizin	Médecine Vétérinaire

1. DE ACORDO COM O TEXTO, ASSINALE QUAIS DAS SEGUINTES AFIRMAÇÕES SÃO VERDADEIRAS OU FALSAS.

Como a Cristina não conseguiu entrar na Faculdade de Medicina em Lisboa, decidiu ir estudar para o Porto. Vai ficar em casa de uma tia e, assim, não vai gastar muito dinheiro com o alojamento.

	V	F
a. A Cristina não conseguiu entrar em Medicina, no Porto.		
b. A Cristina vai estudar para o Porto.		
c. Vai ficar alojada num hotel.		
d. Vai gastar pouco dinheiro em alojamento.		

2. ORGANIZE AS LETRAS DE MODO A FORMAR PALAVRAS.

a. AGOLBIIO
b. ANDÉPOLCICIE
c. RDQOAU
d. RAOGDRAAF
e. ABHOCRAR
f. AFIIFLOOS
g. SLIÁP

3. NO EXERCÍCIO ANTERIOR, OBTEVE O NOME DE UM/UMA:

a.
b.
c.
d.
e.
f.
g.

4. COMPLETE AS PALAVRAS COM AS CONSOANTES EM FALTA E DESCUBRA OBJETOS QUE PODEMOS ENCONTRAR DENTRO DE UM ESTOJO.

a. ___O____ ____A____ _____A
b. ____É____UA
c. _____Á____I____
d. ___A____E___A
e. A____IA-____Á____I_____

5. DESCUBRA O INTRUSO NAS SEGUINTES SÉRIES LÓGICAS.

a. mapa, caixote do lixo, cesto de papéis, ponteiro

b. lápis, borracha, caneta, caneca

c. física, química, biologia, estojo

6. COMPLETE AS FRASES.

A. Comunicação Social é a área universitária que forma

a. ☐ economistas.
b. ☐ assistentes sociais.
c. ☐ jornalistas.
d. ☐ sociólogos.

B. Antropólogo é aquele que estudou

a. ☐ biologia.
b. ☐ o corpo humano.
c. ☐ sociedades humanas e factos sociais.
d. ☐ o homem na série animal.

C. A Faculdade de Direito é a instituição que forma

a. ☐ fisioterapeutas.
b. ☐ advogados.
c. ☐ médicos.
d. ☐ bibliotecários.

7. COLOQUE AS PALAVRAS NA COLUNA ADEQUADA.

caderno	borracha	lapiseira	estojo
giz	quadro	lápis	esferográfica
cesto de papéis	cadeiras	bloco	livro

ESTOJO	MOCHILA	SALA DE AULA

8. COMPLETE O TEXTO COM AS PALAVRAS DO QUADRO.

públicas	adolescentes	trabalho	privadas
crianças	básico	artística	
universitário	politécnicos	profissionais	universidades
Secundário	formação	superiores	

Educação e Formação em Portugal

Em Portugal o ensino é obrigatório até ao 12º ano, com opção entre as escolas _____ ou _____ . O ensino Pré-Escolar destina-se às _____ com idades compreendidas entre os três e os seis anos. O ensino _____ divide-se em 3 ciclos: o 1º ciclo, do 1º ao 4º ano, com crianças dos seis aos dez anos. O 2º ciclo, do 5º ao 6º ano, é frequentado por crianças dos dez aos doze anos. O 3º ciclo, do 7º ao 9º ano, tem _____ dos doze aos quinze anos. O Ensino _____ abrange o 10º, 11º e 12º anos, sendo frequentados por adolescentes dos quinze aos dezoito anos. Do 10º ao 12º anos os estudantes podem escolher entre quatro áreas de _____ : cursos científico-humanísticos, vocacionados para os alunos que desejem continuar estudos _____ ; cursos tecnológicos, dirigidos a quem pretenda entrar no mercado de _____ cursos artísticos especializados, com vista a assegurar formação _____ especializada nas áreas de artes visuais, audiovisuais, dança e música; cursos _____ , destinados a facilitar a entrada no mundo do trabalho. O ensino superior compreende o ensino _____ e o ensino politécnico, ministrados por instituições públicas, privadas ou cooperativas. As _____ atribuem os graus académicos de licenciado, de mestre e de doutor. Os institutos _____ conferem o grau de licenciado e de mestre.

Fonte: http://www.dgeec.mec.pt/np4/97/%7B$clientServletPath%7D/?newsId=147&fileName=educacao_formacao_portugal.pdf

10 GEOGRAFIA

10.1. CONTINENTES E OCEANOS

PORTUGUÊS	ENGLISH	ESPAÑOL	DEUTSCH	FRANÇAIS
Continentes:	**Continents:**	**Continentes:**	**Kontinente:**	**Continents:**
África, s.f.	Africa	África	Afrika	Afrique
africano, adj.	African	africano	afrikanisch	africain
América, s.f.	America	América	Amerika	Amérique
americano, adj.	American	americano	amerikanisch	américain
Antártida, s.f.*	Antarctica	Antártida	Antarktis	Antarctique
Ásia, s.f.	Asia	Asia	Asien	Asie
asiático, adj.	Asian	asiático	asiatisch	asiatique
Europa, s.f.	Europe	Europa	Europa	Europe
europeu, adj.	European	europeo	europäisch	européen
Oceânia, s.f.	Oceania	Oceanía	Ozeanien	Océanie
Oceanos:	**Oceans:**	**Océanos:**	**Ozeane:**	**Oceans:**
Atlântico, s.m.	Atlantic	Atlántico	Atlantik	Atlantique
Ártico, s.m.	Arctic	Ártico	Nordpolarmeer	Arctique
Antártico, s.m.*	Antarctic	Antártico	Südpolarmeer	Antarctique
Índico, s.m.	Indian	Índico	Indischer Ozean	Indien
Pacífico, s.m.	Pacific	Pacífico	Pazifik	Pacifique

* A Antártida (ou Antártica) não é considerada continente por muitos autores, assim como o Antártico não é considerado oceano.

10.2. PAÍSES, NACIONALIDADES, CAPITAIS E MOEDAS

PAÍS	NACIONALIDADE	CAPITAL	MOEDA
África do Sul	sul-africana	Pretória	rand
Alemanha	alemã	Berlim	euro
Angola	angolana	Luanda	kuanza
Austrália	australiana	Camberra	dólar australiano
Áustria	austríaca	Viena	euro
Bélgica	belga	Bruxelas	euro
Brasil	brasileira	Brasília	real
Canadá	canadiana	Otava	dólar canadiano
China	chinesa	Pequim	iuane renminbi
Cuba	cubana	Havana	peso cubano
Dinamarca	dinamarquesa	Copenhaga	coroa dinamarquesa
Egito	egípcia	Cairo	libra egípcia
Espanha	espanhola	Madrid	euro
Estados Unidos da América	americana	Washington	dólar dos Estados Unidos
Filipinas	filipina	Manila	peso filipino

PAÍS	NACIONALIDADE	CAPITAL	MOEDA
Finlândia	finlandesa	Helsínquia	euro
França	francesa	Paris	euro
Grã-Bretanha	britânica	Londres	libra esterlina
Grécia	grega	Atenas	euro
Guiné-Bissau	guineense	Bissau	franco CFA
Índia	indiana	Nova Deli	rupia indiana
Indonésia	indonésia	Jacarta	rupia indonésia
Irão	iraniana	Teerão	rial iraniano
Irlanda	irlandesa	Dublin	euro
Islândia	islandesa	Reiquiavique	coroa islandesa
Israel	israelita	Jerusalém/Telavive	shekel
Itália	italiana	Roma	euro
Jamaica	jamaicana	Kingston	dólar jamaicano
Japão	japonesa	Tóquio	iene
Líbano	libanesa	Beirute	libra libanesa
Líbia	líbia	Trípoli	dinar líbio
Marrocos	marroquina	Rabat	dirham marroquino
México	mexicana	Cidade do México	peso mexicano
Moçambique	moçambicana	Maputo	metical
Noruega	norueguesa	Oslo	coroa norueguesa
Nova Zelândia	neozelandesa	Wellington	dólar neozelandês
Países Baixos	neerlandesa	Amesterdão	euro
Paquistão	paquistanesa	Islamabade	rupia paquistanesa
Polónia	polaca	Varsóvia	zlóti
Portugal	portuguesa	Lisboa	euro
Quénia	queniano	Nairóbi	xelim queniano
República Checa	checa	Praga	coroa checa
Rússia	russa	Moscovo	rublo
São Tomé e Príncipe	são-tomense	São Tomé	dobra
Suécia	sueca	Estocolmo	coroa sueca
Suíça	suíça	Berna	franco suíço
Tailândia	tailandesa	Banguecoque	baht
Timor-Leste	timorense	Díli	dólar dos Estados Unidos
Venezuela	venezuelana	Caracas	bolívar

1. ORGANIZE AS LETRAS DE MODO A FORMAR PALAVRAS.

   a. AÁCFIR
   b. AEUPRO
   c. ÁCDAAN
   d. MPIEUQ
   e. LRAE
   f. ASIUCÉ
   g. INBAOIR

2. NO EXERCÍCIO ANTERIOR, OBTEVE O NOME DE UM/UMA:

   a.
   b.
   c.
   d.
   e.
   f.
   g.

3. DESCUBRA O INTRUSO NAS SEGUINTES SÉRIES LÓGICAS.

   a. Europa, Eurodisney, África, Ásia
   b. Índia, Índico, Atlântico, Pacífico
   c. Pretória, Brasília, Rio de Janeiro, Londres
   d. Suécia, São Tomé, Suíça, Roménia
   e. Maputo, Luanda, Díli, Sydney
   f. rublo, dólar, metical, mediterrânico

4. DE ACORDO COM O TEXTO, ASSINALE QUAIS DAS SEGUINTES AFIRMAÇÕES SÃO VERDADEIRAS OU FALSAS.

   A Marianne é belga. Foi visitar os pais, que vivem na Bélgica, e chegou ontem de Bruxelas para se encontrar com o namorado, que é alemão. Eles conheceram-se em Lisboa, num bar no Bairro Alto. Vivem em Paris, mas vieram a Lisboa para celebrar o dia em que se conheceram, há um ano atrás.

	V	F
a. A Marianne é dos Países Baixos.		
b. O noivo é alemão.		
c. Os pais da Marianne moram em Bruxelas.		
d. A Marianne conheceu o namorado em Lisboa.		
e. Eles vivem na Bélgica.		
f. Eles estão em Portugal em trabalho.		

5. FAÇA CORRESPONDER A CAPITAL DO PAÍS COM A RESPETIVA MOEDA.

1. Lisboa	**a.** iene
2. Washington	**b.** rublo
3. Tóquio	**c.** kuanza
4. Moscovo	**d.** libra esterlina
5. Londres	**e.** metical
6. Maputo	**f.** euro
7. Luanda	**g.** dólar

6. ELIMINE A SÍLABA INTRUSA, ORGANIZE AS RESTANTES E ENCONTRE PAÍSES DA UNIÃO EUROPEIA.

a. PO	POR	A	LÓ	NI	_____
b. DA	DO	LAN	HO		_____
c. GRI	A	CI	GRÉ		_____
d. PAR	GAL	TU	POR		_____
e. DIA	DE	LÂN	FIN		_____
f. PO	PA	ES	NHA		_____
g. LE	LI	NHA	MA	A	_____

7. COMPLETE AS PALAVRAS COM AS LETRAS EM FALTA E ENCONTRE PAÍSES DO CONTINENTE AFRICANO.

a. E___ ____T____

b. ___UI___É- BI____ ___AU

c. L__B___A

d. ___U___N___A

e. MA____ ____O____O_____

f. ____O_____ ____MB____ ___UE

g. A___G_____ ____A

8. COMPLETE O TEXTO COM AS PALAVRAS DO QUADRO.

ambiental	moeda	estabilidade	parceria
	Europeia	Europeu	políticas

Sobre a União Europeia

A União _____ afirma-se como uma _____ económica e política, constituída por 28 países que se estendem por uma grande parte do continente _____. Foi criada inicialmente, por seis países, em 1958, por razões económicas: Alemanha, Bélgica, França, Itália, Luxemburgo e Países Baixos. A mudança de nome C.E.E. para União Europeia reflete outras preocupações, como as _____, o desenvolvimento e a política _____. Pode dizer-se que a União Europeia fundou uma _____ única, contribuiu para mais de meio século de paz e _____ e melhorou o nível de vida dos europeus.

Fonte: http://europa.eu

9. RELACIONE A COLUNA DA ESQUERDA COM A DA DIREITA E ENCONTRE DADOS SOBRE PORTUGAL.

1. capital	**a.** euro
2. superfície	**b.** 1986
3. moeda	**c.** 10,6 milhões de habitantes
4. adesão à União Europeia	**d.** 1128
5. população	**e.** Lisboa
6. fundação	**f.** 92 072 km^2

11 MEIOS DE COMUNICAÇÃO

11.1. TELEFONE

PORTUGUÊS	ENGLISH	ESPAÑOL	DEUTSCH	FRANÇAIS
atender, v.tr. e intr. (o telefone/telemóvel)	to answer the phone/ mobile	atender el teléfono/móvil	an das Telefon/Handy gehen	répondre au téléphone
bateria, s.f.	battery	batería	Batterie	batterie
chamada, s.f.	call	llamada	Anruf	appel
credifone, s.m.	phone card	tarjeta telefónica	Telefonkarte	crédit-phone
desligar, v.tr.	to hang up	colgar	auflegen	débrancher
indicativo, s.m.	prefix	prefijo	Vorwahl	indicatif
ligar, v.tr.	to phone, to call	llamar por teléfono	anrufen	appeler
lista telefónica, s.f.	telephone directory	guía telefónica	Telefonbuch	annuaire
marcar, v.tr. (o número)	to dial a number	marcar el número	die Nummer wählen	composer le numéro
mensagem, s.f.	message	mensaje	Nachricht	message
tarifa, s.f.	rate	tarifa	Tarif	tarif
telefonar, v.tr.	to phone, to call	telefonear	anrufen	téléphoner
telefone fixo, s.m.	landline	teléfono fijo	Festnetz	téléphone fixe
telefonema, s.m.	phone call	llamada telefónica	Anruf	appel téléphonique
telemóvel, s.m.	mobile phone	teléfono móvil	Mobiltelefon/Handy	téléphone portable

11.2. RÁDIO E TELEVISÃO

PORTUGUÊS	ENGLISH	ESPAÑOL	DEUTSCH	FRANÇAIS
Rádio:	**Radio:**	**Radio:**	**Radio:**	**Radio:**
antena, s.f.	station, channel	antena	Antenne	antenne
emissor, s.m.	transmitter	emisor	Sender	émetteur
estúdio, s.m.	studio	estudio	Studio	studio
locutor, s.m.	announcer	locutor	Radiomoderator	animateur
microfone, s.m.	microphone	micrófono	Mikrophon	microphone
noticiário, s.m.	news bulletin	informativo	Nachrichten	le journal/les informations
onda, s.f. (curta/média)	(short/medium) wave	onda (corta/media)	Welle (Kurzwelle/ Mittelwelle)	onde (courte/moyenne)
ouvinte, s.m., f. e adj.	listener	oyente	Hörer	auditeur
ouvir, v.tr. (música)	to listen to music	oír música	Musik hören	écouter de la musique
telefonia, s.f.	telephony	telefonía	Radio	radiotéléphonie
transístor, s.m.	transistor	transistor	Transistorradio	transistor
ouvir, v.tr. (rádio)	to listen to the radio	oír la radio	Radio hören	écouter la radio
Televisão:	**Television:**	**Televisión:**	**Fernsehen:**	**Television:**
apresentador, s.m.	presenter	presentador	Fernsehansager	présentateur
assistente de produção/ realização, s.m. e f.	production assistant	asistente de producción/ dirección	Produktionsassistent/ Regieassistent	assistant de production/ assistant réalisateur

PORTUGUÊS	ENGLISH	ESPAÑOL	DEUTSCH	FRANÇAIS
câmara, s.f.	camera	cámara	Kamera	caméra
canal, s.m.	channel	cadena	Sender	chaîne
noticiário, s.m.	news programme	informativo	Fernsehnachrichten	journal télévisé
notícias, s.f.pl.	news	noticias	Nachrichten	informations
operador de câmara, s.m.	camera operator	operador de cámara	Kameramann	cameraman
produção, s.f.	production	producción	Produktion	production
realizador, s.m.	producer	director	Regisseur	réalisateur, metteur en scène
T.D.T. (Televisão Digital Terrestre), s.f.	DTT (Digital Terrestrial Television)	T.D.T. (Televisión Digital Terrestre)	Digitales terrestrisches Fernsehen	T.N.T. (Télévision Numérique Terrestre)
telejornal, s.m.	television news	telediario	Fernsehnachrichten	journal télévisé
ver, v.tr. (televisão)	to watch television	ver la televisión	Fernsehen sehen	regarder la télévision

11.3. JORNAIS E REVISTAS

PORTUGUÊS	ENGLISH	ESPAÑOL	DEUTSCH	FRANÇAIS
anúncio, s.m.	advertisement	anuncio	Anzeige	annonce
artigo, s.m.	article	artículo	Artikel	article
classificados, s.m.pl.	classified ads	clasificados	Inserat	petites annonces
colunista, s.m. e f.	columnist	columnista	Kolumnist	chroniqueur
correspondente, s.m. e f.	correspondent	corresponsal	Korrespondent	correspondant
crónica, s.f.	opinion column	crónica	Chronik	chronique
cronista, s.m. e f.	columnist	cronista	Chronist	chroniqueur
edital, s.m.	editorial	anuncio	Vorwort des Herausgebers	avis
editor, s.m.	editor	editor	Herausgeber/Verleger	éditeur
grafismo, s.m.	graphics	grafismo	Graphiken	graphisme
jornalista, s.m. e f.	journalist	periodista	Journalist	journaliste
ler, v.tr. (o jornal)	to read the newspaper	leer el periódico	die Zeitung lesen	lire le journal
repórter, s.m. e f.	reporter	reportero	Reporter	reporter
tipografia, s.f.	typography	tipografía	Druckerei, Typographie	typographie

11.4. COMPUTADOR E INTERNET

PORTUGUÊS	ENGLISH	ESPAÑOL	DEUTSCH	FRANÇAIS
ambiente de trabalho, s.m.	desktop	entorno de trabajo	Arbeitsumfeld	bureau
anexar, v.tr.	to attach	anexar	anhängen	joindre, annexer
anexo, s.m.	attachment	anexo	Anhang	pièce-jointe, annexe
barra de espaço, s.f.	spacebar	barra de espacio	Leertaste	barre d'espace
base de dados, s.f.	database	base de datos	Datenbank	base de données

PORTUGUÊS	ENGLISH	ESPAÑOL	DEUTSCH	FRANÇAIS
cabo, *s.m.*	cable	cable	Kabel	câble
colar, *v.tr.*	to paste	pegar	kleben	coller
copiar, *v.tr.*	to copy	copiar	kopieren	copier
cortar, *v.tr.*	to cut	cortar	ausschneiden	couper
descarregar, *v.tr.*	to download	descargar	herunterladen	télécharger
desligar, *v.tr.*	to disconnect	desconectar	ausschalten	débrancher
digitalizar, *v.tr.*	to digitise	digitalizar	digitalisieren	numériser
digitar, *v.tr.*	to type	digitar	eingeben	saisir
disco rígido, *s.m.*	hard disk	disco duro	Festplatte	disque dur
documento, *s.m.*	document	documento	Dokument	document
ecrã, *s.m.*	screen	pantalla	Bildschirm	écran
endereço de *e-mail*, *s.m.*	email address	dirección de correo	E-Mail-Adresse	adresse email/ adresse courriel
enviar, *v.tr.*	to send	enviar	senden	envoyer
ficheiro, *s.m.*	file	fichero	Datei	fichier
folha de cálculo, *s.f.*	spreadsheet	hoja de cálculo	Tabellenkalkulation	feuille de calcul
hospedagem de sítios, *s.f.*	website hosting	alojamiento de sitios	Host (Server)	hébergement de sites
impressora, *s.f.*	printer	impresora	Drucker	imprimante
imprimir, *v.tr.*	to print	imprimir	drucken	imprimer
instalar, *v.tr.* (um programa)	to install a program	instalar un programa	ein Programm installieren	installer un logiciel
internet sem fios, *s.f.*	Wi-Fi	internet sin cables	drahtloses Internet, WLAN	internet sans fil
ligar, *v.tr.*	to switch on, to connect	conectar	einschalten	brancher
monitor, *s.m.*	monitor	monitor	Bildschirm	écran
navegar, *v.tr.* (na internet)	to browse	navegar por internet	im Internet surfen	surfer sur internet
palavra-passe, *s.f.*	password	contraseña	Passwort	mot de passe
para baixo, *loc.adv.*	down	hacia abajo	nach unten	vers le bas
para cima, *loc.adv.*	up	hacia arriba	nach oben	vers le haut
pasta, *s.f.*	folder	carpeta	Ordner	dossier
portátil, *s.m.*	laptop	portátil	Laptop	ordinateur portable
processador de texto, *s.m.*	word processor	procesador de texto	Textverarbeitungspro-gramm	traitement de texte
rato, *s.m.*	mouse	ratón	Maus	souris
rede, *s.f.*	network	red	Netz	réseau
reencaminhar, *v.tr.*	to forward	reenviar	weiterleiten	réacheminer
responder, *v.tr. e intr.*	to reply	responder	antworten	répondre
sair, *v.tr. e intr.*	to exit	salir	verlassen	sortir/quitter
salvar, *v.tr.*	to save	guardar	speichern	sauvegarder
servidor, *s.m.*	server	servidor	Server	serveur
sítio, *s.m.* (da internet)	website	sitio (de internet)	Internetseite	site (internet)

PORTUGUÊS	ENGLISH	ESPAÑOL	DEUTSCH	FRANÇAIS
teclado, *s.m.*	keyboard	teclado	Tastatur	clavier
utilizador, *s.m.*	username	nombre de usuario	Benutzername	nom de l'utilisateur
velocidade, *s.f.* (do processador)	processor speed	velocidad del procesador	Prozessorgeschwindigkeit	vitesse du processeur

1. RELACIONE OS VERBOS COM A RESPETIVA PALAVRA.

1. ver   **a.** o número

2. ouvir   **b.** o telemóvel

3. ler   **c.** na internet

4. navegar   **d.** o jornal

5. atender   **e.** música

6. marcar   **f.** televisão

2. DE ACORDO COM O TEXTO, ASSINALE QUAIS DAS SEGUINTES AFIRMAÇÕES SÃO VERDADEIRAS OU FALSAS.

A Fátima alugou uma casa e decidiu não instalar telefone fixo. Tinha telemóvel e pensou que isso lhe bastaria, pois era assim que comunicava com a família e os amigos e sempre poupava uma despesa.

	V	F
a. A Fátima comprou uma casa.		
b. Decidiu instalar telefone fixo.		
c. A Fátima comunica com os amigos no Messenger.		
d. Ela comunica com a família por telemóvel.		
e. A Fátima vai poupar dinheiro.		

3. DESCUBRA O INTRUSO NAS SEGUINTES SÉRIES LÓGICAS.

a. rato, gato, teclado, palavra-chave

b. diário, semanário, tipografia, telefone

c. câmara, classificados, telejornal, canal

d. locutor, ouvinte, telefonema, transístor

e. bateria, credifone, crédito, mensagem

4. ELIMINE A SÍLABA INTRUSA, ORGANIZE AS RESTANTES E ENCONTRE PALAVRAS RELACIONADAS COM TELEVISÃO.

a. TI   NA   Á   RI   CI   O   NO   _____

b. CO   LA   GI   LÓ   A   NA   _____

c. MO   CÂ   RA   MA   _____

d. NAL   LA   LE   JOR   TE   _____

5. ORDENE AS FRASES E ORGANIZE A HISTÓRIA.

- ☐ achou todos muito semelhantes, mas
- ☐ A Susana comprou uma televisão
- ☐ com chamadas ilimitadas e 100 canais.
- ☐ Analisou vários preços,
- ☐ acabou por escolher um pacote
- ☐ com acesso à internet, telefone
- ☐ e resolveu aderir a um pacote com 3 serviços.

6. COMPLETE AS PALAVRAS COM AS LETRAS EM FALTA E ENCONTRE PALAVRAS DO VOCABULÁRIO DA INFORMÁTICA.

a. D__SC____   R___G___D____

b. P__L____VR____-P___SS____

c. T___CL___D____

d. R___T___

e. F___CH____ ____R_____

f. ____CR____

g. ____MPR____M___R

7. COMPLETE O DIÁLOGO COM AS PALAVRAS DO QUADRO.

	chamadas		números		T.D.T.	
visor		tarifa		fibra ótica		canais
	número (2x)		mês		pacote	

Dois amigos, ao telefone:

— Estou sim?

— Estou, João? É o Rui! Como estás?

— Ah, olá Rui, tudo bem? Não reconheci o _____ no _____!

— É o meu número novo. Aderi ao _____ da Tutti: 140 _____, internet e telefone por 40 euros por _____.

— É uma boa opção. E as _____ são gratuitas?

— Sim, para todos os _____ que começam por 21.

— Também me vão instalar a _____ lá em casa, no sábado de manhã. Tinha de ser, por causa da _____. Mas vou ficar com a mesma _____ e o mesmo _____.

— São os sinais dos tempos. Olha, e se fôssemos beber um copo logo à noite?

— Boa ideia! Já não saio há muito tempo, estou mesmo a precisar de descontrair um bocado. Então, às 11h na "Brasileira"?

— Está combinado. Até logo!

— Até logo!

12 MERCADO DE TRABALHO

12.1. LOCAL DE TRABALHO

PORTUGUÊS	ENGLISH	ESPAÑOL	DEUTSCH	FRANÇAIS
arquivo, s.m.	record office	archivo	Archiv	archives
banco, s.m.	bank	banco	Bank	banque
bar, s.m.	bar	bar	Bar	bar
biblioteca, s.f.	library	biblioteca	Bibliothek	bibliothèque
centro comercial, s.m.	shopping centre	centro comercial	Einkaufszentrum	centre commercial
empresa, s.f.	company	empresa	Firma, Unternehmen	entreprise
escola, s.f.	school	escuela	Schule	école
escritório, s.m.	office	oficina	Büro	bureau
estaleiro, s.m.	shipyard	astillero	Baustelle	chantier
fábrica, s.f.	factory	fábrica	Fabrik, Werk	usine
galeria de arte, s.f.	art gallery	galería de arte	Kunstgalerie	galerie d'art
ginásio, s.m.	gym	gimnasio	Fitnessstudio	gymnase
hospital, s.m.	hospital	hospital	Krankenhaus	hôpital
loja, s.f.	shop	tienda	Geschäft, Laden	magasin
mina, s.f.	mine	mina	Bergwerk	mine
ministério, s.m.	ministry	ministerio	Ministerium	ministère
oficina, s.f.	workshop	taller	Werkstatt	garage
quartel, s.m.	barracks	cuartel	Kaserne	caserne
quinta, s.f.	farm	finca	Gutshof, Bauernhof	ferme
restaurante, s.m.	restaurant	restaurante	Restaurant	restaurant
universidade, s.f.	university	universidad	Universität, Hochschule	université

12.2. PROFISSÕES

PORTUGUÊS	ENGLISH	ESPAÑOL	DEUTSCH	FRANÇAIS
administrador, s.m.	company director	administrador	Verwaltungsratmitglied, Geschäftsführer	administrateur
advogado, s.m.	lawyer	abogado	Rechtsanwalt	avocat
agricultor, s.m.	farmer	agricultor	Bauer, Landwirt	agriculteur
alfaiate, s.m.	tailor	sastre	Schneider	tailleur
arquivista, s.m. e f.	archivist	archivador	Archivar(in)	archiviste
ator, s.m.	actor	actor	Schauspieler	acteur
barbeiro, s.m.	barber	barbero	Herrenfriseur	barbier
bibliotecário, s.m.	librarian	bibliotecario	Bibliothekar	bibliothécaire
bombeiro, s.m.	firefighter	bombero	Feuerwehrmann	pompier
cabeleireiro, s.m.	hairdresser	peluquero	Frisör	coiffeur
camionista, s.m.	truck driver	camionero	LKW-Fahrer	camionneur

PORTUGUÊS	ENGLISH	ESPAÑOL	DEUTSCH	FRANÇAIS
canalizador, s.m.	plumber	fontanero	Klempner	plombier
carpinteiro, s.m.	carpenter	carpintero	Schreiner	charpentier
carteiro, s.m.	postman	cartero	Postbote	facteur
comerciante, s.m. e f.	trader	comerciante	Händler(in), Kaufmann(-frau)	commerçant
contabilista, s.m. e f.	accountant	contable	Buchhalter(in)	comptable
cozinheiro, s.m.	chef	cocinero	Koch	cuisinier
dentista, s.m. e f.	dentist	dentista	Zahnarzt/-ärztin	dentiste
deputado, s.m.	member of Parliament	diputado	Abgeordneter	député
desenhador, s.m.	designer	diseñador	Zeichner	dessinateur
diplomata, s.m. e f.	diplomat	diplomático	Diplomat(in)	diplomate
economista, s.m. e f.	economist	economista	Volkswirtschaftler(in)	économiste
eletricista, s.m. e f.	electrician	electricista	Elektriker(in)	électricien
empregada doméstica, s.f.	maid	empleada del hogar	Hausangestellte	employée de maison
empregado, s.m. (bancário/de escritório/ de mesa)	employee (bank clerk/ office worker/waiter)	empleado (bancario/ de oficina/camarero)	Angestellter (Bank-/ Büroangestellter/Kellner)	employé (de banque/ de bureau/de table)
empreiteiro, s.m.	contractor	constructor	Bauunternehmer	entrepreneur
empresário, s.m.	businessman	empresario	Unternehmer	chef d'entreprise
enfermeiro, s.m.	nurse	enfermero	Krankenpfleger	infirmier
engenheiro, s.m. (químico/ agrónomo/informático/ civil)	engineer (chemical engineer/agronomist/IT engineer/civil engineer)	ingeniero (químico/ agrónomo/informático/ civil)	Ingenieur (Chemie-/Agrar /Computer/Bau)	ingénieur (chimiste/ agronome/informaticien/ civil)
escritor, s.m.	writer	escritor	Schriftsteller	écrivain
estilista, s.m. e f.	fashion designer	estilista	Stylist(in)	styliste
estudante, s.m. e f.	student	estudiante	Student(in)	étudiant
feirante, s.m. e f.	market trader	feriante	Markthändler(in)	forain
figurante, s.m. e f.	film extra	figurante	Statist(in)	figurant
fotógrafo, s.m.	photographer	fotógrafo	Fotograf	photographe
funcionário público, s.m.	civil servant	funcionario público	Beamter	fonctionnaire
futebolista, s.m. e f.	footballer	futbolista	Fußballer(in)	joueur de foot
hospedeira, s.f.	stewardess	azafata	Hostess, Flugbegleiterin	hôtesse
joalheiro, s.m.	jeweller	joyero	Juwelier	joaillier
jornalista, s.m. e f.	journalist	periodista	Journalist	journaliste
juiz, s.m.	judge	juez	Richter	juge
locutor, s.m.	announcer	locutor	Sprecher	locuteur
maquinista, s.m. e f.	train driver	maquinista	Triebfahrzeug-/ Maschinenführer(in)	machiniste/mécanicien de locomotive
marinheiro, s.m.	sailor	marinero	Matrose	marin
médico, s.m.	doctor	médico	Arzt	médecin
mineiro, s.m.	miner	minero	Bergmann	mineur

PORTUGUÊS	ENGLISH	ESPAÑOL	DEUTSCH	FRANÇAIS
ministro, s.m.	minister	ministro	Minister	ministre
modista, s.m. e f.	dressmaker, milliner	modista	Schneider(in)	couturière
motorista, s.m. e f.	driver	conductor	Fahrer(in)/Chauffeur(in)	chauffeur
músico, s.m.	musician	músico	Musiker	musicien
operador de caixa, s.m.	cashier	cajero	Kassierer	caissier
operário, s.m.	labourer, factory hand	operario	Arbelter	ouvrier
ourives, s.m.	jeweller, goldsmith	orfebre	Goldschmied	orfèvre
padeiro, s.m.	baker	panadero	Bäcker	boulanger
padre, s.m.	priest	cura	Priester	curé
pastor, s.m.	shepherd	pastor	Schäfer	berger
pedreiro, s.m.	stonemason	albañil	Maurer	maçon
pescador, s.m.	fisherman	pescador	Fischer	pêcheur
piloto, s.m. e f.	pilot	piloto	Pilot(in)	pilote
pintor, s.m.	painter	pintor	Maler	peintre
polícia, s.m. e f.	police officer	policía	Polizist(in}	policier
porteiro, s.m.	porter	portero	Pförtner, Portier, Türsteher	concierge
professor, s.m.	teacher	profesor	Lehrer	professeur
realizador, s.m.	film director, producer	director	Regisseur	réalisateur
rececionista, s.m. e f.	receptionist	recepcionista	Rezeptionist(in)	réceptionniste
sociólogo, s.m.	sociologist	sociólogo	Soziologe	sociologue
taxista, s.m. e f.	taxi driver	taxista	Taxifahrer(in)	chauffeur de taxi
treinador, s.m.	trainer	entrenador	Trainer	entraîneur
varredor de lixo, s.m.	road sweeper	barrendero	Straßenkehrer	balayeur
veterinário, s.m.	veterinary surgeon	veterinario	Tierarzt	vétérinaire

12.3. SETORES DE ATIVIDADE

PORTUGUÊS	ENGLISH	ESPAÑOL	DEUTSCH	FRANÇAIS
advocacia, s.f.	law	abogacía	Anwaltschaft	barreau
agricultura, s.f.	farming	agricultura	Landwirtschaft	agriculture
apicultura, s.f.	beekeeping	apicultura	Bienenzucht, Imkerei	apiculture
arquitetura, s.f.	architecture	arquitectura	Architektur	architecture
arte, s.f.	art	arte	Kunst	art
artesanato, s.m.	crafts	artesanía	Handwerk, Kunsthandwerk	artisanat
atividade financeira, s.f.	finance	actividad financiera	Finanzwesen	activité financière
audiovisual, s.m.	audiovisual	audiovisual	Audio-Video-Technik	audiovisuel
banca, s.f.	banking	banca	Bankwesen	banque
cinema, s.m.	cinema	cine	Filmindustrie	cinéma

PORTUGUÊS	ENGLISH	ESPAÑOL	DEUTSCH	FRANÇAIS
comércio, s.m.	commerce	comercio	Handel	commerce
construção civil, s.f.	construction	construcción civil	Bauwirtschaft	bâtiment
consultoria, s.f.	consultancy	consultoría	Beratung	expertise conseil
diplomacia, s.f.	diplomacy	diplomacia	diplomatischer Dienst	diplomatie
economia, s.f.	economics	economía	Wirtschaft	économie
educação, s.f.	education	educación	Bildungswesen	éducation
enfermagem, s.f.	nursing	enfermería	Krankenpflege	soins infirmiers
engenharia, s.f.	engineering	ingeniería	Ingenieurwesen	ingénierie
escultura, s.f.	sculpture	escultura	Bildhauerei	sculpture
extração mineira, s.f.	extractive industry	extracción minera	Bergbau	extraction minière
fornecimento, s.m. (de gás, água e eletricidade)	utilities (gas, water, electricity)	suministro (de gas, agua y electricidad)	Versorgung (Gas, Wasser und Strom)	fourniture (de gaz, eau et électricité)
hotelaria, s.f.	hotel trade	hostelería	Hotelgewerbe	hôtellerie
imprensa, s.f.	press	prensa	Presse	presse
investigação, s.f.	research	investigación	Forschung	recherche
jardinagem, s.f.	gardening	jardinería	Gartenbau	jardinage
jornalismo, s.m.	journalism	periodismo	Journalismus	journalisme
medicina, s.f.	medicine	medicina	Medizin	médecine
música, s.f.	music	música	Musik	musique
negócios, s.m.pl.	business	negocios	Handel	affaires
obras públicas, s.m.pl.	public works	obras públicas	öffentliches Bauwesen	travaux publics
pastorícia, s.f.	sheep farming	pastoreo	Weidewirtschaft	pâturage
pecuária, s.f.	stock-rearing	ganadería	Viehzucht	élevage
pesca, s.f.	fishing	pesca	Fischerei	pêche
pintura, s.f.	painting	pintura	Malerei	peinture
política, s.f.	politics	política	Politik	politique
produção de energia, s.f.	energy production	producción de energía	Energieerzeugung	production d'énergie
psicologia, s.f.	psychology	psicología	Psychologie	psychologie
saúde, s.f.	health	salud	Gesundheitswesen	santé
seguros, s.m.pl.	insurance	seguros	Versicherungsbranche	assurances
silvicultura, s.f.	forestry	silvicultura	Forstwirtschaft	sylviculture
sociologia, s.f.	sociology	sociología	Soziologie	sociologie
teatro, s.m.	theatre	teatro	Theater	théâtre
têxteis, s.m.pl.	textiles	textiles	Textilindustrie	textiles
tecnologias da informação e comunicação (TIC), s.f.pl.	ICT	TIC	(IKT) Informations- und Kommunikationstechnologien	TIC
transportes, s.m.pl.	transport	transportes	Verkehrswesen	transports
turismo, s.m.	tourism	turismo	Tourismus	tourisme

1. LIGUE AS COLUNAS A, B, C E D DE MODO A FORMAR FRASES E DE SEGUIDA ESCREVA-AS.

A	B	C	D
O juiz Santos Silva	vão estudar	na Avenida 5 de Outubro	no Porto.
O Ministério da Educação	abriu	na biblioteca	na margem sul.
A Isabel e o João	trabalha por turnos	em Coimbra	em Lisboa.
O José	fica situado	num hospital	há 30 anos.
O António	herdaram	uma oficina	nos anos setenta.
Os meus primos	é operário metalúrgico	uma quinta	no Norte.
O Miguel	estudou Direito	numa fábrica	das 14h às 18h.

a. _____

b. _____

c. _____

d. _____

e. _____

f. _____

g. _____

2. COMPLETE O TEXTO COM AS PALAVRAS DO QUADRO.

agricultura	galinhas	quinta	engenheiro agrónomo
pecuária	apicultura	agricultores	

Os pais do Tiago são _____. Têm uma _____ com vacas, porcos e _____. O Tiago tem 25 anos e é _____. Apesar da vida dura, decidiu continuar a trabalhar na _____ ou qualquer atividade ligada à terra. Ele ainda não sabe se vai investir na _____ ou na _____ com a produção de mel ou se vai construir estufas de morangos.

3. COMPLETE O DIÁLOGO COM AS PALAVRAS DO QUADRO.

oficina	conta	mecânico	
buscar	orçamento	carro	

— Viva! Tudo bem?

— Tudo bem! Por aqui?

— Pois é! Venho _____ o meu _____ que está numa _____ aqui perto.

— Ai a _____!

— Bem, o _____ que o _____ me fez não é muito elevado. Vamos lá ver!

— Gostei de te ver! Telefona-me para irmos beber um café!

— Está bem. Agora, tenho de ir.

— Até à próxima. Cumprimentos lá em casa.

4. DE ACORDO COM O TEXTO, ASSINALE QUAIS DAS SEGUINTES AFIRMAÇÕES SÃO VERDADEIRAS OU FALSAS.

A Inês vai fazer obras em casa. Falou com um empreiteiro que lhe fez um orçamento barato. Ela aceitou imediatamente. As obras vão começar na próxima 2.ª feira, vão durar duas semanas e vão lá trabalhar um pintor, um eletricista e um canalizador.

	V	F
a. A Inês vai fazer obras no escritório.		
b. A Inês falou com o administrador.		
c. O orçamento foi muito bom.		
d. A Inês zangou-se com o construtor.		
e. As obras vão começar na 2.ª feira.		
f. Vai lá estar o porteiro.		
g. As obras vão durar um mês.		

5. IDENTIFIQUE DOZE PROFISSÕES NA SEGUINTE GRELHA.

A	P	R	P	R	O	F	E	S	S	O	R
C	R	A	F	M	I	N	E	I	R	O	X
H	S	C	G	W	T	Y	U	L	K	H	J
F	U	T	E	B	O	L	I	S	T	A	P
K	N	O	S	E	C	E	Q	C	F	D	A
Z	T	R	C	R	U	C	W	O	A	V	D
X	A	T	R	T	L	O	E	Z	D	O	E
A	X	Y	I	Y	I	N	R	I	I	G	I
C	I	U	T	U	S	O	T	N	S	A	R
T	S	I	O	I	T	M	Y	H	T	D	O
O	T	O	R	O	A	I	U	E	A	O	U
R	A	P	B	P	P	S	I	I	B	L	P
W	Z	A	N	Z	L	T	O	R	C	M	L
M	U	S	I	C	O	A	C	O	D	N	F

6. ORDENE AS FRASES E ORGANIZE A HISTÓRIA.

☐ Telefonou a uma colega

☐ Ontem sentiu-se mal

☐ e das duas às cinco.

☐ e não foi trabalhar.

☐ A Mafalda é funcionária pública

☐ para ela avisar a chefe.

☐ das 9h 30m ao meio-dia e meia

☐ e trabalha num ministério,

7. COMPLETE O TEXTO COM AS PALAVRAS DO QUADRO.

loja (2x)		patroa		renda	
	operadora		caixa		centro comercial
supermercado		emprego		artesanato	

A Joana abriu uma pequena _____ de _____ há dois anos num _____ . Ela própria fazia os colares, os brincos, as pulseiras, as malas, as camisolas de lã... Ela gostava de ser a _____ , mas a _____ era muito alta e teve de fechar a _____ . Agora é _____ de _____ num _____ e anda à procura de outro _____ melhor.

13 RELAÇÕES INTERPESSOAIS

13.1. DOMÍNIO PRIVADO

PORTUGUÊS	ENGLISH	ESPAÑOL	DEUTSCH	FRANÇAIS
adoção, *s.f.*	adoption	adopción	Adoption	adoption
adotar, *v.tr.*	to adopt	adoptar	adoptieren	adopter
afilhado, *s.m.*	foster child	ahijado	Patenkind	filleul
agregado familiar, *s.m.*	(nuclear) family	unidad familiar	Haushalt	ménage
amante, *s.m. e f., adj.*	lover, in love, fond of	amante	Geliebte(r)	amant
avó, *s.f.*	grandmother	abuela	Großmutter	grand-mère
avô, *s.m.*	grandfather	abuelo	Großvater	grand-père
batizado, *s.m.*	baptized child	bautizo	Taufe	baptisé
bisavó, *s.f.*	great-grandmother	bisabuela	Urgroßmutter	arrière-grand-mère
bisavô, *s.m.*	great-grandfather	bisabuelo	Urgroßvater	arrière-grand-père
bisneto, *s.m.*	great-grandchild	bisnieto	Urenkel	arrière petit-fils
casado, *adj. e s.m.*	married	casado	verheiratet	marié
casal, *s.m.*	married couple	pareja	Ehepaar	couple
casamento, *s.m.*	marriage	matrimonio	Hochzeit	mariage
casar, *v.tr. e pron.*	to marry	casarse	heiraten	marier
criar, *v.tr.*	to procreate	criar	großziehen	élever
cunhado, *s.m.*	brother-in-law/ sister-in-law	cuñado	Schwager	beau-frère
divorciado, *adj. e s.m.*	divorced	divorciado	geschieden	divorcé
divorciar, *v.tr. e pron.*	to divorce	divorciarse	sich scheiden lassen	divorcer
divórcio, *s.m.*	divorce	divorcio	Scheidung	divorce
educar, *v.tr.*	to raise (children)	educar	erziehen	éduquer
enviuvar, *v.tr. e int.*	to widow/be widowed	enviudar	verwitwen	devenir veuf
esposa, *s.f.*	wife	esposa	Ehefrau	épouse
família, *s.f.*	family	familia	Familie	famille
filho, *s.m.*	child, son/daughter	hijo	Sohn	fils
filiação, *s.f.*	parentage	filiación	Abstammung	filiation
funeral, *s.m.*	funeral	funeral	Beerdigung	enterrement
genro, *s.m.*	son-in-law, daughter-in-law	yerno	Schwiegersohn	beau-fils
irmã, *s.f.*	sister	hermana	Schwester	sœur
irmão, *s.m.*	brother	hermano	Bruder	frère
madrasta, *s.f.*	stepmother	madrastra	Stiefmutter	belle-mère
madrinha, *s.f.*	godmother	madrina	Patentante	marraine
mãe, *s.f.*	mother	madre	Mutter	mère/maman
marido, *s.m.*	husband	marido	Ehemann	mari
namorado, *s.m.*	boyfriend/girlfriend	novio	Freund	petit ami

PORTUGUÊS	ENGLISH	ESPAÑOL	DEUTSCH	FRANÇAIS
namorar, v.tr.	to fall in love	salir con alguien	gehen mit, eine Beziehung führen mit	sortir avec quelqu'un/ courtiser
neto, s.m.	grandchild, grandson/ granddaughter	nieto	Enkel	petit-fils
noivado, s.m.	engagement	compromiso	Verlobung	fiançailles
noivo, s.m.	fiancé/fiancée	novio, prometido	Verlobter	fiancé/le marié
nora, s.f.	daughter-in-law	nuera	Schwiegertochter	belle-fille
padrasto, s.m.	stepfather	padrastro	Stiefvater	beau-père
padrinho, s.m.	godfather	padrino	Patenonkel	parrain
pais, s.m.pl.	parents	padres	Eltern	parents
primo, s.m.	cousin	primo	Cousin, Vetter	cousin
separado, adj. e s.m.	separated	separado	getrennt	séparé
separar, v.tr. e pron.	to separate	separar	trennen	séparer
sobrinho, s.m.	nephew/niece	sobrino	Neffe	neveu
sogro, s.m.	father-in-law/ mother-in-law	suegro	Schwiegervater	beau-père
solteiro, adj. e s.m.	single (adj.), bachelor/ spinster (n.)	soltero	ledig	célibataire
tio, s.m.	uncle/aunt	tío	Onkel	oncle
união de facto, s.f.	cohabitation, civil partnership	pareja de hecho	eheähnliche Gemeinschaft	concubinage
viuvez, s.f.	widowhood	viudez	Witwenschaft	veuvage
viúvo, adj. e s.m.	widower/widow	viudo	Witwer	veuf
viver, v.tr. (em união de facto)	living together, cohabiting	vivir en pareja de hecho	in eheähnlicher Lebensge-meinschaft leben	vivre en concubinage

13.2. DOMÍNIO PÚBLICO

PORTUGUÊS	ENGLISH	ESPAÑOL	DEUTSCH	FRANÇAIS
adepto, adj. e s.m.	supporter, fan	adepto	Anhänger	supporter
aficionado, adj. e s.m.	fan, enthusiast	aficionado	Fan	aficionado
amigo, s.m.	friend	amigo	Freund	ami
apoiante, adj. e s.m.	supporter, supporting	seguidor	Anhänger	adepte
assembleia-geral, s.f.	general meeting	junta general	Generalversammlung	assemblée générale
associação, s.f.	association	asociación	Verein, Genossenschaft	association
associado, adj. e s.m.	member	asociado	Vereins-/Vereinsmitglied	associé
associativismo, s.m.	associativism	asociacionismo	Vereinsleben	vie associative
camarada, s.m. e f.	comrade, colleague	camarada	Genosse, Kamerad	camarade
cliente, s.m. e f.	customer	cliente	Kunde	client
clube, s.m.	club	club	Verein	club
colecionador, s.m.	collector	coleccionista	Sammler	collectionneur

PORTUGUÊS	ENGLISH	ESPAÑOL	DEUTSCH	FRANÇAIS
colecionismo, s.m.	collecting	coleccionismo	Sammeln	collectionnisme
colega, s.m. e f.	colleague	compañero	Kollege	collègue
coletividade, s.f.	community	colectividad	Gemeinschaft	collectivité
coletivo, s.m.	group	colectivo	Kollektiv	collectif
companheiro, s.m.	companion	compañero	Partner	compagnon
condomínio, s.m.	condominium	comunidad de propietarios	Miteigentum	syndic de copropriété
condómino, s.m.	joint owner (condominium)	copropietario	Miteigentümer	copropriétaire
conhecido, s.m.	acquaintance	conocido	bekannt	connu
filiado, adj. e s.m.	member	afiliado	angeschlossen/Mitglied	affilié
freguês, s.m.	customer, parishioner	cliente	Kunde	client
grémio, s.m.	guild	gremio	Gremium, Vereinigung	coopérative
grupo, s.m.	group	grupo	Gruppe	groupe
membro, s.m.	member	miembro	Mitglied	membre
organização, s.f.	organisation	organización	Organisation	organisation
partidário, adj. e s.m.	partisan, party member, advocate	partidario	(Partei)Anhänger	partisan
reunião de condóminos, s.f.	condominium owners' meeting	reunión de copropietarios	Miteigentümerversammlung	réunion du syndic
simpatizante, adj., s.m. e f.	supporter	simpatizante	sympathisierend/Sympathisant	sympathisant
sindicato, s.m.	trade union	sindicato	Gewerkschaft	syndicat
sociedade, s.f.	society, company	sociedad	Gesellschaft	société
sócio, s.m.	member, shareholder	socio	Mitglied/Teilhaber	associé
união, s.f.	alliance, union	unión	Union	union
usuário, adj. e s.m.	user	usuario	Benutzer	usager
utente, adj., s.m. e f.	user	usuario	nutzend/Nutzer(in)	usager
utilizador, s.m.	user	usuario	Benutzer	utilisateur
vizinhança, s.f.	neighbourhood, the neighbours	vecindad	Nachbarschaft	voisinage
vizinho, s.m.	neighbour	vecino	Nachbar	voisin

13.3. DOMÍNIO PROFISSIONAL

PORTUGUÊS	ENGLISH	ESPAÑOL	DEUTSCH	FRANÇAIS
assalariado, s.m. e adj.	employee, employed	asalariado	Angestellter/angestellt	salarié
chefe, s.m. e f.	line manager	jefe	Chef	chef
colega, s.m. e f.	colleague	colega	Kollege	collègue
companheiro, s.m.	workmate	compañero	Arbeitskollege	compagnon
coordenador, s.m.	manager	coordinador	Koordinator	coordinateur
delegado sindical, s.m.	trade union representative	delegado sindical	Gewerkschaftsvertreter	délégué syndical

PORTUGUÊS	ENGLISH	ESPAÑOL	DEUTSCH	FRANÇAIS
desempregado, s.m. e adj.	unemployed, unemployed person	desempleado	Arbeitsloser/arbeitslos	chômeur
diretor, s.m.	director	director	Direktor	directeur
dono, s.m.	owner	dueño	Eigentümer/Inhaber	maître/propriétaire
empregado, s.m. e adj.	employee	empleado	Angestellter/angestellt	employé
empregador, s.m.	employer	empleador	Arbeitgeber	employeur
encarregado, s.m.	foreman	encargado	Beauftragter	chargé/responsable
equipa, s.f.	team	equipo	Team	équipe
gerente, s.m. e f.	manager	gerente	Geschäftsführer(in)	gérant
operário, s.m.	labourer	operario	Arbeiter	ouvrier
patrão, s.m.	boss	patrón	Arbeitgeber	patron
proprietário, s.m.	proprietor	propietario	Eigentümer, Besitzer	propriétaire
sindicalista, s.m. e f.	trade unionist	sindicalista	Gewerkschafter	syndicaliste
supervisor, s.m.	supervisor	supervisor	Supervisor	superviseur
trabalhador, s.m. e adj.	worker	trabajador	Arbeiter/fleißig	travailleur

1. COMPLETE O DIÁLOGO COM AS PALAVRAS DO QUADRO.

vizinho (2x)	reunião	orçamento	assembleia-geral
condóminos	condomínio	contas	

À entrada de um prédio:
— Boa tarde _____, como está?
— Bem, obrigado. E o _____?
— Vai-se andando, vai-se andando.
— Então, logo temos a _____.
— É verdade, já me estava a esquecer! Não me apetecia nada ir, pois ando engripado e dói-me o corpo e a cabeça.
— Mas temos de ir. Mas também vai ser rápido. É só apresentar as _____ do ano passado e o _____ para este ano.
— Esperemos que todos os _____ estejam presentes. Ou pelo menos 2/3. Assim, já podemos fazer a _____.
— Mais do que uma obrigação, é um dever. O dinheiro do _____ é o dinheiro de todos.
— Exatamente! Bem, então, até logo. Mesmo que tenha febre, vou à reunião.
— Até logo.

2. COMPLETE AS PALAVRAS COM AS CONSOANTES EM FALTA E ENCONTRE VOCABULÁRIO RELACIONADO COM ESTADO CIVIL.

a. U___IÃO ___E ____A____ ____O
b. ___O___ ___EI___O
c. ___IÚ___O
d. ___A___A___O
e. ___I___O____ ____IA____O

3. COMPLETE AS PALAVRAS COM AS VOGAIS EM FALTA E ENCONTRE VOCABULÁRIO RELACIONADO COM RELAÇÕES FAMILIARES.

a. P___ ___S
b. ___RM___ ____
c. F___LH____
d. M___R____DO
e. S____BR____NH____
f. C___NH___D____
g. G___NR____

4. ORDENE AS FRASES E ORGANIZE A HISTÓRIA.

[ ] é uma cerimónia muito cara.
[ ] agora, decidiram viver juntos
[ ] Dizem que o casamento
[ ] namoraram durante três anos e
[ ] O João e a Alexandra
[ ] mas, não querem casar.
[ ] Então, decidiram viver em união de facto!

5. IDENTIFIQUE SEIS TEMAS REFERENTES A RELAÇÕES INTERPESSOAIS NA SEGUINTE GRELHA.

A	D	Z	Q	X	H	G	C	A
Z	S	V	T	S	P	R	L	M
C	O	L	E	G	A	E	U	I
L	C	B	T	R	T	M	B	G
C	I	N	U	U	R	I	E	O
V	A	C	I	P	A	O	C	I
N	L	D	P	O	O	L	T	J
P	A	I	S	G	X	H	X	N
O	H	F	A	S	O	C	I	O

6. SIGA O RACIOCÍNIO LÓGICO.

A. Assim como os filhos estão para os pais, os afilhados estão para

a. ☐ os avós.
b. ☐ os tios.
c. ☐ os padrinhos.
d. ☐ a família.

B. Assim como o São Valentim está para o Dia dos Namorados, os noivos estão para

a. ☐ o dia dos namorados.
b. ☐ o divórcio.
c. ☐ a família.
d. ☐ o casamento.

C. Assim como o avô está para o neto, a esposa está para

a. ☐ o amante.
b. ☐ o marido.
c. ☐ o noivo.
d. ☐ o companheiro.

7. COMPLETE O DIÁLOGO COM AS PALAVRAS DO QUADRO.

funerais	batizados	funeral	casamentos
família	famílias	sentimentos	avó

Duas amigas encontram-se num centro comercial:

— Então, de preto?

— Foi a minha _____ que faleceu.

— Os meus _____. Quando foi?

— Esta noite, de coração.

— Quando é o _____?

— Amanhã, às 10h, lá na aldeia onde ela vivia. Vou para lá agora.

— É uma maneira de a _____ se reunir. Só nos vemos em _____, _____ e _____.

— Mas olha que há _____ que nem isso!

— Tens razão.

— Olha, tenho de ir.

— Mais uma vez, os meus pêsames. Se precisares de alguma coisa, liga-me.

— Está bem, obrigada. Quando eu vier, vamos beber um café.

— Adeus. Cumprimentos lá em casa.

— Serão entregues.

8. RELACIONE O VOCABULÁRIO DADO A RELAÇÕES INTERPESSOAIS.

1. pais, filhos, avós	**a.** noivos
2. empregado, trabalhador, assalariado	**b.** família
3. prédio, condomínio, condómino	**c.** patrão
4. clube, associação, grémio	**d.** namorado
5. namorar, Dia dos Namorados, São Valentim	**e.** sócio
6. alianças, bodas, casamento	**f.** vizinho

9. DESCUBRA O INTRUSO NAS SEGUINTES SÉRIES LÓGICAS.

a. fábrica, operário, salário, padrinho

b. escritório, gabinete, ministério, operário

c. clube, associação, grémio, sócio, condomínio

d. prédio, condomínio, vizinho, chefe

e. noiva, aliança, casamento, patrão

f. empregado, noivo, assalariado, operário

g. avó, neto, pai, adepto

14 SERVIÇOS

14.1. CORREIOS

PORTUGUÊS	ENGLISH	ESPAÑOL	DEUTSCH	FRANÇAIS
apartado, s.m.	PO Box	apartado	Postfach	boîte postale
aviso de receção, s.m.	advice of delivery	acuse de recibo	Empfangsbestätigung	accusé de réception
balcão, s.m.	counter	mostrador	Schalter	guichet
caixa do correio, s.f.	mailbox	buzón	Briefkasten	boîte aux lettres
caixa postal, s.f.	PO Box	apartado postal	Postfach	boîte postale
carta, s.f. (registada/regis-tada com aviso de receção)	letter (registered/with advice of delivery)	carta (certificada/acuse de recibo)	Brief (Einschreiben/Einschreiben mit Rückantwort)	lettre (recommandée/recommandée avec accusé de réception)
carteiro, s.m.	postman	cartero	Briefträger	facteur
chamada, s.f.	phone call	llamada	Anruf	appel, coup de fil
código postal, s.m.	postcode	código postal	Postleitzahl	code postal
correio azul, s.m.	express post	correo urgente	Expressbrief	courrier exprès
correspondência, s.f.	correspondence	correspondencia	Schriftverkehr	correspondance
desligar, v.tr.	to hang up (phone)	colgar el teléfono	auflegen	séparer
destinatário, s.m.	addressee	destinatario	Empfänger	destinataire
encomenda, s.f.	parcel, order	pedido	Bestellung	paquet
endereço, s.m.	address	dirección	Postanschrift	adresse postale
entregar, v.tr.	to deliver	entregar	liefern	apporter
enviar, v.tr.	to send	enviar	(ver-)schicken	envoyer
formulário, s.m.	form	formulario	Formular	formulaire
impresso, s.m.	form	impreso	Vordruck	fiche de pari
indicativo, s.m.	prefix	prefijo	Vorwahl	indicatif
ligar, v.tr.	to phone, to call	llamar por teléfono	anrufen	appeler
lista telefónica, s.f.	telephone directory	guía telefónica	Telefonbuch	annuaire
mandar, v.tr.	to send	mandar	versenden	poster
postal ilustrado, s.m.	picture postcard	postal ilustrada	Postkarte	carte postale
receber, v.tr.	to receive	recibir	empfangen	recevoir
registar, v.tr.	to register	registrar	registrieren	enregistrer
registo, s.m.	register, record	registro	Register	registre
selo, s.m.	postage stamp	sello	Briefmarke	timbre
telefonar, v.tr.	to telephone	telefonear	telefonieren	téléphoner
telefonema, s.m.	phone call	llamada telefónica	Telefonat; Anruf	appel téléphonique
telegrama, s.m.	telegram	telegrama	Telegramm	télégramme; bleu
vale postal, s.m.	postal order	giro postal	Postanweisung	mandat-carte

14.2. BANCO

PORTUGUÊS	ENGLISH	ESPAÑOL	DEUTSCH	FRANÇAIS
abrir, v.tr. (uma conta)	to open an account	abrir una cuenta	ein Bankkonto eröffnen	ouvrir un compte
balcão, s.m.	counter	sucursal	Schalter	guichet
cambiar, v.tr.	to exchange (currency)	cambiar	wechseln	échanger
câmbio, s.m.	currency exchange	cambio	Wechseln	change
cartão de crédito, s.m.	credit card	tarjeta de crédito	Kreditkarte	carte de crédit
cheque de viagem, s.m.	traveller's cheque	cheque de viaje	Reisescheck	chèque de voyage
consultar, v.tr. (o saldo da conta)	to check one's bank balance	consultar el saldo de la cuenta	Kontostand abfragen	vérifier le bilan du compte
conta, s.f. (à ordem/ a prazo)	account (current/deposit)	cuenta (corriente/a plazo)	Girokonto/Sparbuch	compte (courant/ d'épargne)
conta-corrente, s.f.	current account	cuenta corriente	Gehaltskonto/ Kontokorrent	compte courant
creditar, v.tr.	to credit	abonar en cuenta	gutschreiben	créditer
crédito, s.m.	credit	crédito	Kredit	crédit
debitar, v.tr.	to debit	debitar	belasten	débiter
débito, s.m.	debit	débito	Belastung	débit
depósito, s.m.	deposit	depósito	Einzahlung	versement
dinheiro, s.m.	money	dinero	(Bar-)Geld	argent
juro, s.m.	interest	interés	Zins	intérêt
levantamento, s.m.	withdrawal	reintegro	Abheben	retrait
levantar, v.tr. (dinheiro)	to withdraw money	retirar dinero	Geld abheben	retirer de l'argent
livro de cheques, s.m.	chequebook	libro de cheques	Checkbuch	livre de chèques
multibanco, s.m.	ATM	cajero automático	Geldautomat	distributeur de billets
nota, s.f.	bank note	billete	Schein	billet
numerário, s.m.	cash	metálico	Hartgeld	monnaie
passar, v.tr. (um cheque)	to write a cheque	extender un cheque	einen Scheck ausstellen	passer un cheque
poupar, v.tr.	to save	ahorrar	sparen	épargner
quantia, s.f.	amount	cantidad	Summe	montant
reembolso, s.m.	reimbursement	reembolso	Rückerstattung	remboursement
requisitar, v.tr. (cheques)	to order cheques	solicitar cheques	ein Checkbuch beantra-gen; Checks beantragen	adresser une demande de chèques
saldo, s.m.	balance	saldo	Guthaben	bilan
soma, s.f.	sum	suma	Geld-(Summe)	somme (d'argent)
sucursal, s.f.	branch	sucursal	Filiale	succursale
taxa de juro, s.f.	interest rate	tipo de interés	Zinssatz	taux d'intérêt
transferência bancária, s.f.	bank transfer	transferencia bancaria	Überweisung; Umbuchung	virement

14.3. SEGUROS

PORTUGUÊS	ENGLISH	ESPAÑOL	DEUTSCH	FRANÇAIS
acidente, s.m. (de trabalho)	accident at work	accidente de trabajo	Arbeitsunfall	accident de travail
apólice, s.f. (de seguros)	insurance policy	póliza de seguros	Versicherungspolice	police d'assurance
benefício, s.m.	benefits	beneficio	Leistungen	profit
carteira, s.f. (de seguros)	insurance portfolio	cartera de seguros	Versicherungsbestand	portefeuille d'assurance
coima, s.f.	fine	sanción	Geldstrafe	amende
contraordenação, s.f.	infraction, administrative offence	infracción administrativa	Ordnungswidrigkeit	infraction à la loi
contrato, s.m.	contract	contrato	Vertrag	contrat
corretor, s.m. (de seguros)	insurance broker	corredor de seguros	Versicherungsvertreter	courtier d'assurances
dano, s.m. (corporal/ material)	loss, damage, injury (personal injury/material damage)	daño (corporal/material)	Schaden (körperlich/ materiell)	dommage (corporel/ matériel)
fazer, v.tr. (um seguro)	to take out insurance	hacer un seguro	eine Versicherung abschließen	contracter une assurance
indemnização, s.f.	indemnity	indemnización	Schadenersatz	dommages intérêts
mediador, s.m. (de seguros)	insurance intermediary	mediador de seguros	Versicherungsmakler	agent d'assurance
participação, s.f. (de sinistro)	accident report	comunicación de siniestro	Schadensfall melden	rapporter un sinistre
período, s.m. (de carência)	grace period	período de carencia	Karenzzeit	délai de carence
prémio, s.m.	premium	prima	Versicherungsprämie	prime d´assurance
prorrogação, s.f.	extension	prórroga	Verlängerung	prorrogation
resgate, s.m.	redemption	rescate	Rückkauf	rachat
segurador, s.m.	insurer	asegurador/aseguradora	Versicherer	assureur
seguradora, s.f.	insurance company	aseguradora	Versicherungsgesellschaft	compagnie d'assurances
seguro, s.m. (de saúde/ de vida/de acidentes de trabalho/automóvel/ de acidentes pessoais/ multirriscos)	insurance (health/life/ accidents at work/car/ personal accident/ multi-risk home)	seguro (de salud/de vida/ de accidentes de trabajo/ automóvil/de accidentes personales/multirriesgos en la vivienda)	Versicherung (Kranken-/ Lebens-/Arbeitsunfall-/ Kfz-Haftpflicht-/Unfall-/ Mehrgefahrenversiche- rung)	assurance (assurance- maladie/vie/contre les accidents de travail/ automobile/accidents corporel /habitation)
segurar, v.tr.	to insure	asegurar	versichern	assurer

1. COMPLETE O DIÁLOGO COM AS PALAVRAS DO QUADRO.

correio azul	código postal	impresso
aviso	receção	indicativo (2x)
carta registada	selo (2x)	carta

Ao balcão dos Correios:

— Bom dia.

— Bom dia. Faça o favor de dizer.

— Queria mandar uma _____ _____ para o Porto.

— Com _____ de _____?

— Pode ser, é mais seguro. Assim, tenho a certeza que a pessoa vai receber a minha _____.

— Falta-lhe o _____ _____.

— Pois falta! É o 1700-187.

— Pode preencher este _____, por favor?

— Com certeza.

....

— Aqui está. Mais alguma coisa?

— Sim, queria também um _____ para os E.U.A. e outro para Portugal e queria saber o _____ para telefonar para a Alemanha.

— A carta para Portugal, quer mandar por _____ _____?

— Pode ser.

— Aqui está o _____ para os E.U.A. O _____ para a Alemanha é o 00 49, seguido do número de telefone.

— Muito obrigada. Quanto é tudo?

— São cinco euros e dez cêntimos.

— Aqui está.

— Muito obrigada e boa tarde.

— Boa tarde.

2. RELACIONE CADA VERBO COM UMA DAS EXPRESSÕES DA COLUNA DA DIREITA.

1. levantar		**a.** o saldo da conta
2. requisitar		**b.** euros
3. cambiar		**c.** uma transferência bancária
4. creditar		**d.** cheques
5. abrir		**e.** dinheiro
6. fazer		**f.** na conta
7. consultar		**g.** uma conta

3. COMPLETE AS PALAVRAS COM AS CONSOANTES EM FALTA E ENCONTRE VOCABULÁRIO REFERENTE AOS CORREIOS.

a. _____ E _____ O

b. _____ A _____ _____ EI _____ O

c. _____ E _____ E _____ _____ A _____ A

d. _____ E _____ E _____ O _____ E _____ A

e. _____ A _____ _____ A

f. E _____ _____ O _____ E _____ _____ A

g. _____ Ó _____ I _____ O _____ O _____ _____ A _____

4. COLOQUE AS PALAVRAS NA COLUNA ADEQUADA.

crédito	balcão (2x)	selo
telefones	código postal	listas telefónicas
depósito	envelope (2x)	saldo

CARTA	CORREIOS	BANCO

5. ORDENE AS FRASES E ORGANIZE A HISTÓRIA.

- [ ] falou com um funcionário
- [ ] mas ela não decidiu logo e
- [ ] que lhe sugeriu um seguro multirriscos,
- [ ] A Joana decidiu fazer um seguro de saúde e
- [ ] disse que ia pensar em casa.
- [ ] dirigiu-se a uma seguradora.
- [ ] Ela ouviu as propostas que lhe foram feitas,

6. ELIMINE A SÍLABA INTRUSA, ORGANIZE AS RESTANTES E ENCONTRE PALAVRAS RELACIONADAS COM MODALIDADES DE SEGURO.

a. SEGURO DE DA VA VI _____

b. SEGURO MA MÓ TO VEL AU _____

c. SEGURO DE SO DE SAÚ _____

d. SEGURO TI MUL CUS COS RRIS _____

7. DE ACORDO COMO O TEXTO, ASSINALE QUAIS DAS SEGUINTES AFIRMAÇÕES SÃO VERDADEIRAS OU FALSAS.

A irmã da Maria faz anos na próxima semana. Como ela está a estudar Filosofia em Paris a Maria foi aos correios para lhe mandar uma encomenda e algum dinheiro. Teve de preencher dois impressos diferentes.

	V	F
a. A Maria foi ao banco.		
b. Fez uma transferência bancária.		
c. A irmã dela estuda e trabalha em Paris.		
d. A irmã fez anos na semana passada.		
e. A Maria mandou-lhe um presente.		

15.1. DIA, PARTES DO DIA, HORAS E DIAS DA SEMANA

PORTUGUÊS	ENGLISH	ESPAÑOL	DEUTSCH	FRANÇAIS
amanhã, *adv.*	tomorrow	mañana	morgen	demain
amanhecer, *v.intr. e s.m.*	to dawn, dawn	amanecer	Tag werden/Tagesanbruch	faire jour/aube
anoitecer, *v.intr. e s.m.*	to grow dark, nightfall	anochecer	Nacht werden/Einbruch der Nacht	faire nuit/déclin du jour
anteontem, *adv.*	the day before yesterday	anteayer	vorgestern	avant-hier
aurora, *s.f.*	dawn	aurora	Morgenröte	aurore
cedo, *adv.*	early	temprano	früh	tôt
crepúsculo, *s.m.*	dusk	crepúsculo	Morgendämmerung	crépuscule
data, *s.f.*	date	fecha	Datum	date
de manhã, *loc.adv.*	in the early morning	por la mañana	morgens	de grand matin
depois de amanhã, *loc.adv.*	the day after tomorrow	pasado mañana	übermorgen	après-demain
dia, *s.m.*	day	día	Tag	jour
entardecer, *v.intr. e s.m.*	to grow dark, late afternoon	atardecer	Abend werden/Beginn des Abends	tomber le jour/tombée du jour
escurecer, *v.intr. e s.m.*	to grow dark, nightfall	oscurecer	dunkel werden/Abenddämmerung	s'obscurcir/tombée de la nuit
hoje, *adv.*	today	hoy	heute	aujourd'hui
hora, *s.f.*	hour	hora	Stunde	heure
jornada, *s.f.*	the working day	jornada	(Arbeits)Tag	journée
madrugada, *s.f.*	dawn	madrugada	Tagesanbruch	point du jour
manhã, *s.f.*	morning	mañana	Vormittag/Morgen	matin
matinal, *adj.*	morning	matinal	morgendlich	matinal
matutino, *adj. e s.m.*	early morning	matutino	früh, morgendlich	matineux/journal du matin
meia-hora, *s.f.*	half hour	media hora	halbe Stunde	demi-heure
meia-noite, *s.f.*	midnight	media noche	Mitternacht	minuit
meio-dia, *s.m.*	midday	medio día	Mittag	midi
minuto, *s.m.*	minute	minuto	Minute	minute
nascer do sol, *s.m.*	sunrise	alborada	Sonnenaufgang	lever du soleil
noite, *s.f.*	night	noche	Nacht	nuit
noturno, *adj.*	night, nightly	nocturno	nächtlich	nocturne
ontem, *adv.*	yesterday	ayer	gestern	hier
pôr do sol, *s.m.*	sunset	puesta de sol	Sonnenuntergang	coucher du soleil
quarto de hora, *s.m.*	quarter of an hour	cuarto de hora	Viertelstunde	quart d'heure
segundo, *s.m.*	second	segundo	Sekunde	seconde
tarde, *s.f.*	afternoon	tarde	Nachmittag	après-midi
véspera, *s.f.*	eve	víspera	Vorabend	veille

PORTUGUÊS	ENGLISH	ESPAÑOL	DEUTSCH	FRANÇAIS
Dias da semana:	**Days of the week:**	**Días de la semana:**	**Wochentage:**	**Jours de la semaine:**
domingo, *s.m.*	Sunday	domingo	Sonntag	dimanche
segunda-feira, *s.f.*	Monday	lunes	Montag	lundi
terça-feira, *s.f.*	Tuesday	martes	Dienstag	mardi
quarta-feira, *s.f.*	Wednesday	miércoles	Mittwoch	mercredi
quinta-feira, *s.f.*	Thursday	jueves	Donnerstag	jeudi
sexta-feira, *s.f.*	Friday	viernes	Freitag	vendredi
sábado, *s.m.*	Saturday	sábado	Samstag	samedi
fim de semana, *s.m.*	weekend	fin de semana	Wochenende	week-end

15.2. MESES E ESTAÇÕES DO ANO

PORTUGUÊS	ENGLISH	ESPAÑOL	DEUTSCH	FRANÇAIS
mês, *s.m.*	month	mes	Monat	mois
Meses do ano:	**Months of the year:**	**Meses del año:**	**Monate des Jahres:**	**Mois de l'annee:**
janeiro, *s.m.*	January	enero	Januar	janvier
fevereiro, *s.m.*	February	febrero	Februar	février
março, *s.m.*	March	marzo	März	mars
abril, *s.m.*	April	abril	April	avril
maio, *s.m.*	May	mayo	Mai	mai
junho, *s.m.*	June	junio	Juni	juin
julho, *s.m.*	July	julio	Juli	juillet
agosto, *s.m.*	August	agosto	August	août
setembro, *s.m.*	September	septiembre	September	septembre
outubro, *s.m.*	October	octubre	Oktober	octobre
novembro, *s.m.*	November	noviembre	November	novembre
dezembro, *s.m.*	December	diciembre	Dezember	décembre
Estações do ano:	**The seasons:**	**Estaciones del año:**	**Jahreszeiten:**	**Saisons de l'annee:**
primavera, *s.f.*	spring	primavera	Frühling	printemps
verão, *s.m.*	summer	verano	Sommer	été
outono, *s.m.*	autumn	otoño	Herbst	automne
inverno, *s.m.*	winter	invierno	Winter	hivers

15.3. FERIADOS E FESTIVIDADES

15.3.1. Feriados nacionais

PORTUGUÊS	ENGLISH	ESPAÑOL	DEUTSCH	FRANÇAIS
Dia de Ano Novo (1 de janeiro)	New Year's Day (1 January)	Año Nuevo (1 de enero)	Neujahr (1. Januar)	Jour de l'An (1 janvier)
Sexta-Feira Santa (feriado móvel)	Good Friday (movable holiday)	Viernes Santo (festivo móvil)	Karfreitag (Feiertag mit wechselndem Datum)	Vendredi saint (férié à date variable)
Páscoa (feriado móvel)	Easter Day (movable holiday)	Semana Santa (festivo móvil)	Ostern (Feiertag mit wechselndem Datum)	Pâque (férié à date variable)
Dia da Liberdade (25 de abril)	Freedom Day (25 April)	Día de la Libertad (25 de abril)	Unabhängigkeitstag (25. April)	Jour de la Liberté (25 avril)
Dia do Trabalhador (1 de maio)	Labour Day (1 May)	Día del Trabajador (1 de mayo)	Tag der Arbeit (1. Mai)	Fête du Travail (1 mai)
Dia de Portugal (10 de junho)	Portugal Day (10 June)	Día de Portugal (10 de junio)	Nationalfeiertag (10. Juni)	Jour du Portugal, Fête Nationale (10 juin)
Dia de Assunção de Nossa Senhora (15 de agosto)	Assumption (15 August)	Asunción de Nuestra Señora (15 de agosto)	Mariä Himmelfahrt (15. August)	Assomption (15 août)
Dia da Imaculada Conceição (8 de dezembro)	Immaculate Conception (8 December)	Inmaculada Concepción (8 de diciembre)	Maria Empfängnis (8. Dezember)	Immaculée Conception de la sainte Vierge (8 décembre)
Natal (25 de dezembro)	Christmas Day (25 December)	Navidad (25 de diciembre)	Weihnachten (25. Dezember)	Noël (25 décembre)

15.3.2. Festividades

PORTUGUÊS	ENGLISH	ESPAÑOL	DEUTSCH	FRANÇAIS
Natal:	**Christmas:**	**Navidad:**	**Weihnachten:**	**Noël:**
árvore de Natal, s.f.	Christmas tree	árbol de Navidad	Weihnachtsbaum	sapin de Noël
cartão de Boas Festas, s.m.	Christmas card	tarjeta de felicitación navideña	Weihnachtskarte	carte de Noël
luzes de Natal, s.f.pl.	Christmas lights	luces de Navidad	Lichter	lumières
Menino Jesus, s.m.	Infant Jesus	Niño Jesús	Jesuskind	Enfant Jésus
missa do galo, s.f.	Midnight Mass	misa del gallo	Christmette	messe de minuit
natalício, adj.	Christmas (adj.)	navideño	weihnachtlich	noël
prenda, s.f.	present, gift	regalo	Geschenk	cadeau
presente, s.m.	present, gift	regalo	Geschenk	cadeau
presépio, s.m.	Christmas crib	belén	Krippe	crèche de Noël
vela, s.f.	candle	vela	Kerze	bougie
Reis Magos, s.m.pl.	The Magi	Reyes Magos	Die Heiligen Drei Könige	Rois Mages
- Baltazar	- Balthazar	- Baltasar	- Balthasar	- Balthazar
- Belchior	- Melchior	- Melchor	- Melchior	- Melchior
- Gaspar	- Gaspar	- Gaspar	- Kaspar	- Gaspard

PORTUGUÊS	ENGLISH	ESPAÑOL	DEUTSCH	FRANÇAIS
Carnaval:	**Carnival:**	**Carnaval:**	**Fasching:**	**Mardis Gras:**
alegórico, *adj.*	allegorical	alegórico	allegorisch	allégorique
baile, *s.m.*	dance	baile	Ball	bal
cabeçudo, *s.m.*	carnival 'big-head' figure	cabezudo	Karnevalsfigur mit großem Kopf	géant à grand tête
carnaval, *s.m.*	carnival	carnaval	Karneval, Fasching	carnaval
carnavalesco, *adj.*	carnival	carnavalesco	Faschings-, karnevalistisch	carnavalesque
corso, *s.m.*	carnival parade	cabalgata	Korso, Umzug	cortège costumé
cortejo, *s.m.*	carnival parade	desfile	Umzug	cortège
desfilar, *v.intr.*	to parade	desfilar	marschieren	défiler
desfile, *s.m.*	parade	desfile	Marsch	défilé
entrudo, *s.m.*	the Carnival period	Carnaval	Fastnacht	carnaval
fantasia, *s.f.*	fancy dress	disfraz	Kostüm	costume
fantasiar-se, *v.pron.*	to wear fancy dress	disfrazarse	sich verkleiden	se costumer
festejo, *s.m.*	festivity	festejo	Festlichkeit	fête
festejar, *v.tr.*	to celebrate, to revel	festejar	feiern	fêter
folia, *s.f.*	revelry	juerga	Ausgelassenheit	rigolade
folião, *s.m.*	reveller	juerguista	Feiernde	rigoleur
máscara, *s.f.*	mask	máscara	Maske	masque
mascarar, *v.tr. e pron.*	to disguise	disfrazarse	sich maskieren	masquer
traje, *s.m.*	costume	traje	Verkleidung	habillement
Páscoa:	**Easter:**	**Semana Santa:**	**Ostern:**	**Pâque:**
amêndoa, *s.f.*	almond	almendra	Mandel	amande
coelho, *s.m.*	rabbit, bunny	conejo	Hase	lapin
Cristo, *s.m.*	Christ	Cristo	Christus	Christ
cruz, *s.f.*	cross	cruz	Kreuz	croix
folar, *s.m.*	Easter bread	bizcocho típico de Semana Santa	(süßes) Osterbrot	gâteau de Pâque
jejum, *s.m.*	fast	ayuno	Fasten	jeûne
ovo, *s.m.*	egg	huevo	Ei	œuf
pão de ló, *s.m.*	sponge cake	bizcocho	Biskuitkuchen	gâteau de Savoie
pascal, *adj.*	Easter, Paschal	pascual	österlich	pascal
procissão, *s.f.*	procession	procesión	Prozession	procession
Quaresma, *s.f.*	Lent	cuaresma	Fastenzeit	carême
ressurreição, *s.f.*	resurrection	resurrección	Auferstehung	résurrection
semana santa, *s.f.*	Holy Week	semana santa	Karwoche	semaine sainte
via-sacra, *s.f.*	Stations of the Cross	vía crucis	Kreuzweg	chemin de croix
Santos Populares:	**Popular Saints:**	**Santos Populares:**	**Volksheiligen:**	**Saints Populaires:**
arraial, *s.m.*	fair, fête	verbena	Volksfest	fête foraine

PORTUGUÊS	ENGLISH	ESPAÑOL	DEUTSCH	FRANÇAIS
bailarico, s.m.	folk dance	baile	zünftiges Tanzfest	sauterie
caldo-verde, s.m.	potato and kale soup	sopa típica con hojas de col	Grünkohlsuppe	bouillon vert
manjerico, s.m.	basil	albahaca	Basilikum	basilic petit
marcha popular, s.f.	popular parade	desfiles de grupos representativos de barrios de Lisboa	Festumzug	marche populaire
petisco, s.m.	snack	aperitivo	Leckerbissen	gourmandise
sangria, s.f.	sangria	sangría	Sangria	sangria
Santo António	St Anthony	San Antonio	Heiliger Antonius, St. Antoniustag	Saint Antoine
São João	St John	San Juan	Heiliger Johannes, St. Johannestag	Fête de la Saint Jean
São Pedro	St Peter	San Pedro	St. Peter, St. Peterstag	Saint Pierre
sardinha assada, s.f.	barbecued sardines	sardina asada	gegrillte Sardinen	sardine grillée

15.4. DIAS IMPORTANTES E DATAS COMEMORATIVAS

PORTUGUÊS	ENGLISH	ESPAÑOL	DEUTSCH	FRANÇAIS
Dia de Reis (6 de janeiro)	Epiphany (6 January)	día de Reyes (6 de enero)	Dreikönigsfest, Heilige Drei Könige (6. Januar)	Fête des Rois (6 janvier)
Dia dos Namorados (14 de fevereiro)	Valentine's Day (14 February)	día de los Enamorados (14 de febrero)	Valentinstag (14. Februar)	Fête des amoureux (14 février)
Dia Internacional da Mulher (8 de março)	International Women's Day (8 March)	día Internacional de la Mujer (8 de marzo)	Weltfrauentag (8. März)	journée internationale de la Femme (8 mars)
Dia do Pai (19 de março)	Father's Day (19 March)	día del Padre (19 de marzo)	Vatertag (19. März)	Fête des Pères (19 mars)
Dia da Mãe (1.º domingo de maio)	Mother's Day (1st Sunday in May)	día de la Madre (1er domingo de mayo)	Muttertag (1. Sonntag im Mai)	Fête des Mères (1er dimanche de mai)
Dia da Espiga (40 dias depois da Páscoa)	Ascension Day (40 days after Easter)	jueves de la Ascensión (40 días después de Semana Santa)	Ährentag (Christi-Himmel-fahrt, 40 Tage nach Ostern)	Jour de l'Epi (au Portugal), Jeudi de l'Ascension (en France) (40 jours après Pâques)
Dia Mundial do Animal (4 de outubro)	World Animal Day (4 October)	día Mundial de los Anima-les (4 de octubre)	Welttierschutztag (4. Oktober)	journée mondiale des animaux (4 octobre)
Dia de Finados (2 de novembro)	All Souls' Day (2 November)	día de los Difuntos (2 de noviembre)	Allerseelen (2. November)	Fête des Morts (2 novembre)
São Martinho (11 de novembro)	St Martin's Day (11 November)	San Martín (11 de no-viembre)	Martinstag (11. November)	Saint-Martin (11 novembre)
Dia de Carnaval (feriado móvel)	Carnival (movable holiday)	Día de Carnaval (festivo móvil)	Faschingsdienstag (Feiertag mit wechselndem Datum)	Mardi-Gras (férié à date variable)

1. ELIMINE A SÍLABA INTRUSA, ORGANIZE AS RESTANTES E ENCONTRE PALAVRAS RELACIONADAS COM AS FESTIVIDADES DO NATAL E CARNAVAL.

   a. PE   SÉ   PRE   PI   O   _____

   b. LU   LA   ZES   _____

   c. PAR   POR   GAS   _____

   d. SEN   TI   TE   PRE   _____

   e. DA   DO   TRU   EN   _____

   f. A   SI   TA   TO   FAN   _____

2. DESCUBRA O INTRUSO NAS SEGUINTES SÉRIES LÓGICAS.

   a. janeiro, outubro, outono, dezembro

   b. meio-dia, meia-hora, segunda-feira, meia-noite

   c. dia de Natal, dia da Mãe, dia de Portugal, dia de Ano Novo

   d. boas-festas, presépio, presente, máscara

   e. crepúsculo, entardecer, pôr do sol, ontem

   f. dia dos Namorados, dia do Pai, dia da Liberdade, dia de Finados

3. RELACIONE AS HORAS COM AS REFEIÇÕES.

   1. São 8h   **a.** vamos almoçar?

   2. São 17h   **b.** vamos jantar?

   3. São 13h   **c.** vamos lanchar?

   4. São 20h   **d.** vamos tomar o pequeno-almoço?

4. COMPLETE O DIÁLOGO COM AS PALAVRAS DO QUADRO.

orquídea	mãe	dia (2x)	perfume
cartão	chocolates	amanhã	

   Duas amigas encontram-se no centro comercial:

   — Olá, Maria, tudo bem?

   — Tudo bem, e tu?

   — Ando à procura de um presente para a minha mãe. _____ é _____ da _____ e ainda não comprei nada.

   — Eu já comprei um _____ e um _____ para a minha mãe.

   — A minha prefere_____ ou flores.

   — Oferece-lhe uma _____!

   — Boa ideia!

   — Vá, tenho de ir, beijinhos para a tua mãe e um _____ feliz!

   — Obrigada.

5. DE ACORDO COM O TEXTO, ASSINALE QUAIS DAS SEGUINTES AFIRMAÇÕES SÃO VERDADEIRAS OU FALSAS.

A Teresa nasceu, vive e trabalha em Lisboa. Este ano, em junho, há dois feriados na mesma semana. Então, ela decidiu tirar três dias de férias, juntar esses dias aos feriados e vai ficar com uma semana inteira de férias. Ela está a pensar em ir dar uma volta pelo Norte de Portugal e conhecer o nosso país.

	V	F
a. A Teresa não é de Lisboa.		
b. Ela trabalha em Lisboa.		
c. Este ano, a Teresa não tem férias.		
d. A Teresa vai fazer uma semana de férias.		
e. Ela vai de férias em julho.		
f. Vai haver três feriados em junho.		
g. Ela vai trabalhar nos feriados.		

6. GUIANDO-SE PELO TÓPICO TEMÁTICO E PELA PALAVRA DADA, DESCUBRA A QUE ESTÁ EM FALTA.

A. Natal:

    a. _____ Jesus

    b. árvore de _____

    c. _____ Magos

    d. _____ do galo

B. Santos Populares:

    a. _____ -verde

    b. _____ assadas

    c. _____ fresca

    d. marchas _____

7. COMPLETE AS PALAVRAS COM AS LETRAS EM FALTA E ENCONTRE FERIADOS PORTUGUESES.

a. D____A D____ L____B____RD____D____

b. DI____ D____ TR____B____LH____D____R

c. D_____ ____ DE P____RT____G____L

d. D_____ ____ D____ AN____ N____VO

e. D____A DE ____A T_____ ____

f. P____SC_____ ____

16 TEMPOS LIVRES E VIDA CULTURAL

16.1. TEMPOS LIVRES

PORTUGUÊS	ENGLISH	ESPAÑOL	DEUTSCH	FRANÇAIS
andar, v.tr. (a pé/a cavalo)	walking/horse riding	caminar/montar a caballo	zu Fuß gehen/reiten	balader/monter à cheval
andar, v.tr. (de bicicleta/mota)	cycling/motorcycling	montar en bicicleta/en moto	Fahrrad-/Motorradfahren	aller à bicyclette/en moto
bordar, v.tr.	embroidery	bordar	sticken	broder
canoagem, s.f.	canoeing	piragüismo	Kanu	canoë-kayak
colecionar, v.tr. (selos/postais ilustrados)	collecting stamps/picture postcards	coleccionar sellos/postales ilustradas	Briefmarken/Postkarten sammeln	collectionner des estampes/cartes postales
correr, v.intr.	jogging	correr	laufen	courir
cozinhar, v.tr.	cooking	cocinar	kochen	cuisiner
dançar, v.tr. (tango/salsa/valsa)	dancing the tango/salsa/waltz	bailar tango/salsa/vals	Tango/Salsa/Walzer tanzen	danser le tango/la salsa/la valse
fazer, v.tr. (escalada/montanhismo)	rock climbing/mountaineering	hacer escalada/montañismo	Klettern/Bergsteigen	faire de l'escalade/l'alpinisme
fazer, v.tr. (malha/renda)	knitting/lace making	hacer punto/ganchillo	stricken/häkeln	tricoter/faire du crochet
fazer, v.tr. (palavras cruzadas)	doing crosswords	hacer crucigramas	Kreuzworträtsel ausfüllen	faire des mots croisés
fazer, v.tr. (teatro)	acting	hacer teatro	Theaterspielen	jouer du théâtre
ir, v.tr. (ao cinema/ao teatro/ao casino/à discoteca/à ópera/ao ginásio)	going to the cinema/theatre/casino/disco/opera/gym	ir al cine/al teatro/al casino/a la discoteca/a la ópera/al gimnasio	ins Kino/ins Theater/ins Kasino/in die Disco/ins Fitnessstudio gehen	aller au cinéma/au théâtre/au casino/au club/à l'opéra/au gymnase
jogar, v.tr. (futebol/ténis/basquetebol)	playing football/tennis/basketball	jugar al fútbol/tenis/baloncesto	Fußball/Tennis/Basketball spielen	jouer du football/tennis/basketball
jogar, v.tr. (às cartas/damas/xadrez)	playing cards/draughts/chess	jugar a las cartas/damas/ajedrez	Karten/Dame/Schach spielen	jouer aux cartes/dames/échecs
navegar, v.tr. (na internet)	surfing the internet	navegar por internet	im Internet surfen	surfer sur le web
ouvir, v.tr. (música)	listening to music	oír música	Musik hören	écouter de la musique
pintar, v.tr.	painting	pintar	malen	peindre
tirar, v.tr. (fotografias)	photography	hacer fotografías	fotografieren	prendre des photos
ver, v.tr. (televisão)	watching television	ver la televisión	fernsehen	regarder la télévision
praticar, v.tr. (desporto)	playing sport	hacer deporte	Sport machen	pratiquer du sport
tocar, v.tr. (piano/flauta/guitarra/bateria)	playing the piano/flute/guitar/drums	tocar el piano/la flauta/la guitarra/la batería	Klavier/Flöte/Gitarre/Schlagzeug spielen	jouer du piano/de la flûte/de la guitare/de la batterie

16.2. ARTE E CULTURA

16.2.1. Cinema e teatro

PORTUGUÊS	ENGLISH	ESPAÑOL	DEUTSCH	FRANÇAIS
Cinema:	**Cinema:**	**Cine:**	**Kino:**	**Cinéma:**
argumento, *s.m.*	plot	argumento	Handlung	argument
cena, *s.f.*	scene	escena	Szene	scène
cineasta, *s.m.* e *f.*	filmmaker	cineasta	Filmemacher	cinéaste
comédia, *s.f.*	comedy	comedia	Komödie	comédie
drama, *s.m.*	drama	drama	Drama	drame
elenco, *s.m.*	cast	reparto	(Rollen-)Besetzung	casting
estreia, *s.f.*	release	estreno	Premiere, Uraufführung	première
ficção, *s.f.*	fiction	ficción	Fiktion	fiction
filme, *s.m.*	film	película	Film	film
plano, *s.m.*	shot	plano	Einstellungsgröße	plan
realizador, *s.m.*	director	director	Regisseur	réalisateur
realizar, *v.tr.* (um filme)	to direct a film	hacer una película	bei einem Film Regie führen	réaliser un film
sinopse, *s.f.*	synopsis	resumen	Synopse	synopse
Teatro:	**Theatre:**	**Teatro:**	**Theater:**	**Théâtre:**
ator, *s.m.*	actor	actor	Schauspieler	acteur
balcão, *s.m.*	dress circle	piso principal	Balkon	balcon
bastidores, *s.m.pl.*	backstage	bastidores	Kulisse	coulisses
camarim, *s.m.*	dressing room	camerino	Garderobe	vestiaire
camarote, *s.m.*	box	palco	Loge	loge
cenário, *s.m.*	scenery	escenario	Bühnenbild	scénario
cenografia, *s.f.*	scenography	escenografía	Szenografie	scénographie
companhia de teatro, *s.f.*	theatre company	compañía teatral	Theatergruppe	troupe de théâtre
encenador, *s.m.*	theatre director	director	Regisseur	metteur en scène
encenar, *v.tr.* (uma peça)	to stage a play	representar una obra	ein Theaterstück aufführen	mettre une pièce en scène
holofote, *s.m.*	spotlight	foco	Scheinwerfer	projecteur
palco, *s.m.*	stage	escenario	Bühne	scène
peça, *s.f.*	play	obra/pieza	Theaterstück	pièce
personagem, *s.m.* e *f.*	character	personaje	Rolle	personnage
plateia, *s.f.*	stalls	platea	Parkett	parterre
representar, *v.tr.* (um papel)	to play a role	representar un papel	eine Rolle spielen	jouer un rôle

16.2.2. Museus

PORTUGUÊS	ENGLISH	ESPAÑOL	DEUTSCH	FRANÇAIS
acervo, *s.m.*	collections	patrimonio	Erbe	patrimoine
bilhete, *s.m.*	ticket	entrada	Karte	billet
bilheteira, *s.f.*	ticket office	taquilla	Schalter	billetterie
catálogo, *s.m.*	catalogue	catálogo	Katalog	catalogue
coleção, *s.f.*	collection	colección	Sammlung	collection
escultura, *s.f.*	sculpture	escultura	Skulptur	sculpture
estátua, *s.f.*	statue	estatua	Statue	statue
funcionário, *s.m.*	museum assistant	empleado	Angestellter	fonctionnaire
loja do museu, *s.f.*	museum shop	tienda del museo	Museumsshop, Museumsladen	boutique du musée
museologia, *s.f.*	museology	museología	Museumswissenschaft	muséologie
obra de arte, *s.f.*	work of art	obra de arte	Kunstwerk	œuvres d'art
pintura, *s.f.*	painting	pintura	Gemälde	peinture
restauro, *s.m.*	restoration	restauración	Restaurierung	restauration

16.2.3. Música e instrumentos musicais

PORTUGUÊS	ENGLISH	ESPAÑOL	DEUTSCH	FRANÇAIS
altifalante, *s.m.*	loudspeaker	altavoz	Lautsprecher	haut-parleur
banda, *s.f.*	band	grupo	Band	bande
cantor, *s.m.*	singer	cantante	Sänger	chanteur
chefe de orquestra, *s.m.*	conductor	director de orquesta	Konzertmeister	chef d'orchestre
concerto, *s.m.*	concert, concerto	concierto	Konzert	concert
dar, *v.tr.* (um concerto)	to give a concert	dar un concierto	ein Konzert geben	donner un concert
dirigir, *v.tr.* (uma orquestra)	to conduct an orchestra	dirigir una orquesta	ein Orchester leiten	diriger un orchestre
maestro, *s.m.*	conductor	maestro	Dirigent	maestro
músico, *s.m.*	musician	músico	Musiker	musicien
orquestra, *s.f.*	orchestra	orquesta	Orchester	orchestre
partitura, *s.f.*	score	partitura	Partitur	partition
projetor, *s.m.*	spotlight	proyector	Projektor	projecteur
tocar, *v.tr.* (piano/bateria/flauta)	to play the piano/drums/flute	tocar el piano/la batería/la flauta	Klavier/Schlagzeug/Flöte spielen	jouer du piano/de la batterie/de la flûte
Instrumentos:	**Instruments:**	**Instrumentos:**	**Instrumente:**	**Instruments:**
acordeão, *s.m.*	accordion	acordeón	Akkordeon	accordéon
baixo, *s.m.*	double bass; also bass guitar	bajo	Bass	basse
bateria, *s.f.*	drums, timpani	batería	Schlagzeug	batterie
cavaquinho, *s.m.*	cavaquinho (small four-stringed Portuguese guitar)	cavaquiño (tipo de guitarra)	kleine viersaitige Gitarre	petite guitarre à quatre cordes

PORTUGUÊS	ENGLISH	ESPAÑOL	DEUTSCH	FRANÇAIS
clarinete, *s.m.*	clarinet	clarinete	Klarinette	clarinette
clavicórdio, *s.m.*	clavichord	clavicordio	Clavichord	clavicorde
concertina, *s.f.*	concertina	concertina	diatonisches Akkordeon	accordéon diatonique
contrabaixo, *s.m.*	double bass	contrabajo	Kontrabass	contrebasse
ferrinhos, *s.m.pl.*	triangle	triángulos	Dreieck	triangle
flauta, *s.f.*	flute, fife	flauta	Flöte	flûte
flauta transversal, *s.f.*	flute	flauta travesera	Querflöte	flûte traversière
gaita de foles, *s.f.*	bagpipes	gaita gallega	Dudelsack	cornemuse
guitarra, *s.f.*	guitar	guitarra	Gitarre	guitare
guitarra portuguesa, *s.f.*	portuguese guitar	guitarra portuguesa	portugiesische Gitarre	guitare portugaise
harpa, *s.f.*	harp	arpa	Harfe	harpe
oboé, *s.m.*	oboe	oboe	Oboe	hautbois
órgão, *s.m.*	organ	órgano	Orgel	orgue
pandeireta, *s.f.*	tambourine	pandereta	Tamburin	tambourin
piano, *s.m.*	piano	piano	Klavier	piano
saxofone, *s.m.*	saxophone	saxofón	Saxophon	saxophone
sintetizador, *s.m.*	synthesiser	sintetizador	Synthesizer	synthétiseur
tambor, *s.m.*	drum	tambor	Trommel	tambour
trombone, *s.m.*	trombone	trombón	Posaune	trombone
trompete, *s.m.*	trumpet	trompeta	Trompete	trompette
viola, *s.f.*	viola	viola	Bratsche	alto
violino, *s.m.*	violin	violín	Geige	violon
violoncelo, *s.m.*	cello	violonchelo	Cello	violoncelle
xilofone, *s.m.*	xylophone	xilófono	Xylophon	xylophone
Género musical:	**Musical genres:**	**Género musical:**	**Musikgattungen:**	**Genre musical:**
blues, *s.m.pl.**	blues	blues	Blues	blues
clássica, *s.f.*	classical	clásica	Klassik	classique
country, *s.m. e adj.**	country	country	Country	country
eletrónica, *s.f. e adj.**	electronic	electrónica	elektronische Musik	électronique
fado, *s.m.*	fado	fado	Fado	fado
folk, *s.m. e adj.**	folk	folk	Folkmusik	folk
heavy metal, *s.m. e adj.**	heavy metal	heavy metal	Heavy Metal	heavy metal
hip-hop, *s.m. e adj.**	hip hop	hip hop	Hip-Hop	hip-hop
house, *s.m. e adj.**	house	house	House	house
jazz, *s.m. e adj.**	jazz	jazz	Jazz	jazz
pop, *s.m. e adj.**	pop	pop	Pop	pop
rap, *s.m. e adj.**	rap	rap	Rap	rap
reggae, *s.m. e adj.**	reggae	reggae	Reggae	reggae

PORTUGUÊS	ENGLISH	ESPAÑOL	DEUTSCH	FRANÇAIS
rock, s.m. e adj.*	rock	rock	Rock	rock
tecno, s.m. e adj.*	techno	tecno	Techno	techno

* Embora não sejam vocábulos portugueses, não existindo tradução em português, são usados para qualificar determinado tipo de música.

16.2.4. Literatura, livrarias e bibliotecas

PORTUGUÊS	ENGLISH	ESPAÑOL	DEUTSCH	FRANÇAIS
atlas, s.m.	atlas	atlas	Atlas	atlas
autor, s.m.	author	autor	Autor	auteur
base de dados, s.f.	database	base de datos	Datenbank	base de données
bibliotecário, s.m.	librarian	bibliotecario	Bibliothekar	bibliothèque
capa, s.f.	cover	cubierta (de un libro)	Buchumschlag	couverture
catalogação, s.f.	cataloguing	catalogación	Katalogisierung	catalogage
catalogar, v.tr.	to catalogue	catalogar	katalogisieren	cataloguer
centro de documentação, s.m.	documentation centre	centro de documentación	Dokumentationszentrum	centre de documentation
consulta, s.f.	search	consulta	Konsultierung; Nachschlagen	consultation
conto, s.m.	tale, story	cuento	Erzählung	conte
cota, s.f.	marginal note	anotación	Mitgliedsbeitrag	cotisation
crítica, s.f.	criticism, critique	crítica	Kritik	critique
dicionário, s.m.	dictionary	diccionario	Wörterbuch	dictionnaire
editor, s.m.	editor	editor	Herausgeber	éditeur
editora, s.f.	publisher	editora	Verlag	maison d'édition
empréstimo, s.m.	loan	préstamo	Ausleihe	prêt
enciclopédia, s.f.	encyclopaedia	enciclopedia	Enzyklopädie	encyclopédie
ensaio, s.m.	essay	ensayo	Essay	essai
escritor, s.m.	writer	escritor	Schriftsteller	écrivain
estante, s.f.	bookshelves	estantería	Bücherregel	étagère
leitor, s.m.	reader	lector	Leser	lecteur
ler, v.tr.	to read	leer	lesen	lire
literatura, s.f.	literature	literatura	Literatur	littérature
livro, s.m.	book	libro	Buch	livre
novela, s.f.	novel	novela	Novelle	nouvelle
poema, s.m.	poem	poema	Gedicht	poème
poesia, s.f.	poetry	poesía	Poesie	poésie
poeta, s.m. e f.	poet	poeta	Dichter(in)	poète
prosa, s.f.	prose	prosa	Prosa	prose
romance, s.m.	novel	novela	Roman	roman

PORTUGUÊS	ENGLISH	ESPAÑOL	DEUTSCH	FRANÇAIS
sala de leitura, s.f.	reading room	sala de lectura	Lesesaal	salle de lecture
utilizador, s.m.	user	usuario	Benutzer	usager

1. COMPLETE O DIÁLOGO COM AS PALAVRAS DO QUADRO.

casa-museu		coleção		móveis		roupas
	loja		museu		joias	entrada

Na bilheteira do Museu do Fado:

— Boa tarde.

— Boa tarde.

— Queria uma _____, por favor.

— Com certeza. Aqui está.

— Quanto é?

— São cinco euros.

— Sabe se o Museu tem alguma _____ particular de Amália Rodrigues?

— Para isso terá de visitar a _____ -_____, onde a fadista viveu e onde estão os seus _____, as suas _____ e as suas _____.

— De certeza que vou visitar esse _____. Gosto muito de fado. Outra coisa, este museu tem _____ ?

— Sim, sim. Lá poderá encontrar livros, postais e até xailes.

— Bem, vou andando. Obrigada.

— Boa visita.

— Obrigada.

2. RELACIONE OS VERBOS COM A RESPETIVA PALAVRA.

1. dar   a. um filme
2. ler   b. rádio
3. tocar   c. um papel
4. ouvir   d. piano
5. representar   e. um concerto
6. realizar   f. uma peça
7. encenar   g. um livro

3. DESCUBRA O INTRUSO NAS SEGUINTES SÉRIES LÓGICAS.

a. livro, livreiro, museu, escritor

b. biblioteca, bordar, leitor, empréstimo

c. concerto, partitura, partir, microfone

d. filme, realizador, discoteca, filmagem

e. obra de arte, pintura, piano, pintar

f. escultura, estátua, estudar, pedra

4. ELIMINE A SÍLABA INTRUSA, ORGANIZE AS RESTANTES E ENCONTRE PALAVRAS RELACIONADAS COM TEATRO.

a. RIM   MA   MO   CA   _____

b. TEI   TI   PLA   A   _____

c. CO   PAL   PUL   _____

d. CÃO   CO   BAL   _____

5. COMPLETE AS PALAVRAS COM AS CONSOANTES EM FALTA E ENCONTRE VOCABULÁRIO DE MÚSICA.

a. ___A____ ____I___U____A

b. ___O____ ____E____ ____O

c. O___ ____UE____ ____ ___A

d. ____IO___I___O

e. ___A___E____IA

6. COMPLETE AS PALAVRAS COM AS VOGAIS EM FALTA E ENCONTRE VOCABULÁRIO DE CINEMA.

a. F___LM____

b. ___TR___Z

c. C___N____ ____ST____

d. F___LM___G___M

e. ____RG___M___NT____

7. RELACIONE OS VERBOS COM A RESPETIVA PALAVRA.

1. dançar	**a.** às cartas
2. andar de	**b.** tango
3. tirar	**c.** bicicleta
4. jogar	**d.** televisão
5. colecionar	**e.** fotografias
6. andar	**f.** selos
7. ver	**g.** a pé

17 VESTUÁRIO E CALÇADO

17.1. VESTUÁRIO, ACESSÓRIOS, MATERIAIS E CORES

PORTUGUÊS	ENGLISH	ESPAÑOL	DEUTSCH	FRANÇAIS
Padrão:	**Pattern:**	**Estampado:**	**Muster:**	**Imprimés:**
aos quadrados, s.m.pl.	check	de cuadros	kariert	écossais
às bolas, s.f.pl.	polka dot	de lunares	getupft	à pois
às flores, s.f.pl.	flowered	de flores	geblümt	fleuri
às riscas, s.f.pl.	striped	de rayas	gestreift	à rayures
liso, adj.	plain	liso	uni	uni
Vestuário:	**Clothing:**	**Vestuario:**	**Kleidung:**	**Vêtements:**
anoraque, s.m.	anorak	anorak	Anorak	anorak/doudoune
bata, s.f.	dressing gown	bata	Kittel	blouse
biquíni, s.m.	bikini	bikini	Bikini	bikini
blusa, s.f.	blouse	blusa	Bluse	chemisier
calças, s.f.pl.	trousers	pantalones	Hose	pantalon
calções, s.m.pl.	shorts	pantalones cortos	Shorts	short
camisa de dormir, s.f.	nightdress	camisón	Nachthemd	chemise de nuit
camisa, s.f.	shirt	camisa	Hemd	chemise
camisola, s.f.	sweater	camiseta	Pulli	tricot
capa, s.f.	cape	capa	Umhang	cape
colete, s.m.	waistcoat	chaleco	Weste	gilet
despir, v.tr.	to undress	desnudarse	ausziehen	enlever
experimentar, v.tr.	to try on (clothes)	probar	anprobieren	essayer
fato, s.m.	suit	traje	Anzug	costume
fato de banho, s.m.	swimsuit	bañador	Badeanzug	maillot de bain
fato de treino, s.m.	tracksuit	chándal	Trainingsanzug	survêtement jogging
gabardina, s.f.	raincoat	gabardina	Regenmantel	gabardine
impermeável, s.m.	waterproof	impermeable	wasserabweisend	imperméable
meia, s.f.	sock	calcetine	Strumpf	chaussette
minissaia, s.f.	miniskirt	minifalda	Minirock	mini-jupe
peúga, s.f.	sock	calcetine	Sock	chaussette
pijama, s.m.	pyjamas	pijama	Schlafanzug	pyjama
pôr, v.tr. (o chapéu/os óculos)	to put on a hat/glasses	ponerse el sombrero/ las gafas	den Hut/die Brille aufsetzen	mettre le chapeau/ les lunettes
provar, v.tr.	to try on (clothes)	probar	anprobieren	essayer
pulôver, s.m.	pullover	jersey	Pullover	pull-over
robe, s.m.	robe, dressing gown	bata	Morgenmantel	robe de chambre
roupa interior, s.f.	underwear	ropa interior	Unterwäsche	lingerie
roupão, s.m.	bathrobe	albornoz	Bademantel	peignoir
saia, s.f.	skirt	falda	Rock	jupe

PORTUGUÊS	ENGLISH	ESPAÑOL	DEUTSCH	FRANÇAIS
sobretudo, *s.m.*	overcoat	abrigo	Mantel	manteau
uniforme, *s.m.*	uniform	uniforme	Uniform	uniforme
usar, *v.tr. e pron.*	to wear	usar	tragen	porter
vestido, *s.m.*	dress	vestido	Kleid	robe
vestido de noiva, *s.m.*	wedding dress	vestido de novia	Brautkleid	robe de mariée
vestir, *v.tr. e pron.*	to dress	vestir	anziehen	habiller/s'habiller
Outros:	**Other:**	**Otros:**	**Sonstiges:**	**Autres:**
montra, *s.f.*	shop window	escaparate	Schaufenster	vitrine
número, *s.m.*	size (shoes)	número	Größe	numéro
promoção, *s.f.*	sales promotion	promoción	Sonderangebot	promotion
saldo, *s.m.*	sale	saldo	Schlussverkauf	solde
tamanho, *s.m.*	size	talla	Größe	taille
ver, *v.tr.* (as montras)	to window shop	ver los escaparates	einen Schaufensterbummel machen	faire du lèche-vitrine
Acessórios:	**Accessories:**	**Accesorios:**	**Zubehör**	**Accessoires:**
bengala, *s.f.*	walking stick	bastón	Gehstock	canne
boina, *s.f.*	beret	boina	Baskenmütze	béret
bolsa, *s.f.*	bag, handbag	bolso	Damenhandtasche	sac à main
boné, *s.m.*	cap	gorra	Schirmmütze	casquette
cachecol, *s.m.*	muffler	bufanda	Schal	écharpe
chapéu de chuva, *s.m.*	umbrella, rain hat	paraguas	Regenschirm	parapluie
chapéu, *s.m.*	hat	sombrero	Hut	chapeau
cinto, *s.m.*	belt	cinturón	Gürtel	ceinture
echarpe, *s.f.*	scarf	echarpe	Halstuch	écharpe
gorro, *s.m.*	beanie, woolly hat	gorro	Mütze	bonnet
gravata, *s.f.*	tie	corbata	Krawatte	cravate
guarda-chuva, *s.m.*	umbrella	paraguas	Regenschirm	parapluie
lenço, *s.m.*	(head)scarf, neckerchief	pañuelo	Hals-/Taschentuch	foulard/mouchoir
luva, *s.f.*	glove	guante	Handschuhe	gant
mala, *s.f.*	suitcase	bolso	Tasche	sac à main
óculos, *s.m.pl.* (de sol)	(sun)glasses	gafas (de sol)	(Sonnen-)Brille	lunettes
saco, *s.m.*	bag	bolsa	Beutel	sac
suspensórios, *s.m.pl.*	braces	tirantes	Hosenträger	bretelles
xaile, *s.m.*	shawl	chal	Schultertuch	châle
Materiais:	**Materials:**	**Materiales:**	**Materialien:**	**Matériaux:**
algodão, *s.m.*	cotton	algodón	Baumwolle	coton
cabedal, *s.m.*	leather	cuero	Leder	cuir
crepe, *s.m.*	crepe	crepé	Krepp	crêpe
ganga, *s.f.*	denim	vaquero	Jeans	jean

PORTUGUÊS	ENGLISH	ESPAÑOL	DEUTSCH	FRANÇAIS
lã, *s.f.*	wool	lana	Wolle	laine
linho, *s.m.*	linen	lino	Leinen	lin
renda, *s.f.*	lace	encaje	Spitze	dentelle
seda, *s.f.*	silk	seda	Seide	soie
veludo, *s.m.*	velvet	terciopelo	Samt	velours
Cores:	**Colours:**	**Colores:**	**Farben:**	**Couleurs:**
amarelo, *adj. e s.m.*	yellow	amarillo	gelb	jaune
azul, *adj. e s.m.*	blue	azul	blau	bleu
bege, *adj. e s.m.*	beige	beis	beige	beige
branco, *adj. e s.m.*	white	blanco	weiß	blanc
castanho, *adj. e s.m.*	brown	marrón	braun	marron
cinzento, *adj. e s.m.*	grey	gris	grau	gris
cor de laranja, *adj. e s.m.*	orange	naranja	orange	orange
cor de rosa, *adj. e s.m.*	pink	rosa	rosa	rose
cor de vinho, *adj. e s.m.*	burgundy	vino	weinrot	bordeaux
creme, *adj. e s.m.*	cream	crema	cremefarben	crème
dourado, *adj. e s.m.*	gold	dorado	goldfarben	doré
encarnado, *adj. e s.m.*	red	rojo	rot	rouge/incarnat
indigo, *adj. e s.m.*	indigo	índigo	indigofarben	indigo
lilás, *adj. e s.m.*	lilac	lila	violett	lilas/mauve
negro, *adj. e s.m.*	black	negro	schwarz	noir
prateado, *adj. e s.m.*	silver	plateado	silbern	argenté
preto, *adj. e s.m.*	black	negro	schwarz	noir
púrpura, *adj.*	purple	púrpura	purpurfarben	pourpre
roxo, *adj. e s.m.*	purple	violeta	lila	violet
verde, *adj. e s.m.*	green	verde	grün	vert
vermelho, *adj. e s.m.*	red	rojo	rot	rouge

17.2. CALÇADO

PORTUGUÊS	ENGLISH	ESPAÑOL	DEUTSCH	FRANÇAIS
bota, *s.f.*	boot	bota	Stiefel	botte
botim, *s.m.*	ankle boot	botín	Stiefelette	bottine
chinelo, *s.m.*	flip-flop, mule	chancla	Hausschuh	chausson/mule
galocha, *s.f.*	galosh	botas de agua	Gummistiefel	botte en caoutchouc
havaiana, *s.f.*	flip-flop	chancla	Zehentrenner	tongs/havaianas
mocassim, *s.m.*	moccasin	mocasín	Mokassins	mocassin
pantufa, *s.f.*	slipper	zapatilla	Pantoffeln	pantoufle

PORTUGUÊS	ENGLISH	ESPAÑOL	DEUTSCH	FRANÇAIS
sabrina, s.f.	women's flat, ballet-style shoe	bailarina	Ballerinas	ballerine
sandália, s.f.	sandal	sandalia	Sandalen	sandale
sapato, s.m. (de salto raso/baixo/alto)	(flat/low/high heeled) shoe	zapato (plano/de tacón bajo/de tacón alto)	Schuh mit flachem Absatz; Schuh mit halbhohem Absatz; Schuh mit hohem Absatz	chaussure (plate/à talon/à talon aiguille)
soca, s.f.	clog	zueco	Clogs	sabot
ténis, s.m.pl.	trainers	zapatos de deporte	Turnschuh	basquettes/chaussures de tennis
Materiais:	**Materials:**	**Materiales:**	**Materialien**	**Matériaux:**
borracha, s.f.	rubber	goma	Gummi	caoutchouc
cabedal, s.m.	leather	cuero	Leder	cuir
camurça, s.f.	suede	gamuza	Wildleder	daim
pano, s.m.	cloth	paño	Stoff	tissu
pele, s.f.	leather	piel	Leder	cuir
plástico, s.m.	plastic	plástico	Kunststoff	plastique
Outros:	**Other:**	**Otros:**	**Andere**	**Autres:**
atacador, s.m.	shoelace	cordón	Schnürsenkel	lacet
calçadeira, s.f.	shoehorn	calzador	Schuhlöffel	chausse-pied
graxa, s.f.	shoe polish	betún	Schuhcreme	cirage
modelo, s.m.	style	modelo	Modell	modèle
montra, s.f.	shop window	escaparate	Schaufenster	vitrine
número, s.m.	size	número	Schuhgröße	pointure
sapataria, s.f.	shoe shop	zapatería	Schuhgeschäft	magasin de chaussures

17.3. JOIAS E BIJUTERIA

PORTUGUÊS	ENGLISH	ESPAÑOL	DEUTSCH	FRANÇAIS
aliança, s.f.	wedding ring	alianza	Ehering	alliance
anel, s.m.	ring	anillo	Ring	bague
brinco, s.m.	earring	pendiente	Ohrring	boucle d'oreille
colar, s.m.	necklace	collar	Halskette	collier
fio, s.m.	necklace	cadena	Kette	collier
gancho, s.m.	hairclip	horquilla	Haarspange	broche
gargantilha, s.f.	choker	gargantilla	Kollier	collier ras du cou
medalha, s.f.	medallion, pendant	medalla	Medaillon; Anhänger	médaille
ouro, s.m.	gold	oro	Gold	or
prata, s.f.	silver	plata	Silber	argent
pregadeira, s.f.	brooch	broche	Brosche	broche

PORTUGUÊS	ENGLISH	ESPAÑOL	DEUTSCH	FRANÇAIS
pulseira, s.f.	bracelet	pulsera	Armband	bracelet
relógio, s.m.	wristwatch	reloj	Uhr; Armbanduhr	montre

1. DESCUBRA COM QUAL DAS PALAVRAS NÃO PODEMOS UTILIZAR O ADJETIVO INDICADO.

A. grande[s]

a. ☐ botas
b. ☐ gabardina
c. ☐ número
d. ☐ óculos
e. ☐ veludo
f. ☐ chapéu
g. ☐ cinto

B. largo[a/os/as]

a. ☐ sapatos
b. ☐ vestido
c. ☐ bata
d. ☐ pijama
e. ☐ chapéu de chuva
f. ☐ calças
g. ☐ botins

C. às flores

a. ☐ vestido
b. ☐ galochas
c. ☐ chapéu de chuva
d. ☐ chapéu
e. ☐ calções
f. ☐ tamanho
g. ☐ mala

D. cinzento[a/os/as]

a. ☐ brincos
b. ☐ sapatos
c. ☐ saldos
d. ☐ gravata
e. ☐ sandálias
f. ☐ robe
g. ☐ saia

2. RELACIONE OS VERBOS COM A RESPETIVA PALAVRA.

1. experimentar
2. pôr
3. usar
4. vestir
5. provar

a. o/um chapéu
b. óculos
c. um vestido
d. calças
e. uma saia

3. COMPLETE O DIÁLOGO COM AS PALAVRAS DO QUADRO.

número		salto alto		sandálias		montra
	castanho (2x)		azul-escuro		cor	

Na sapataria:
— Bom dia.
— Bom dia. Faça o favor de dizer.
— Queria estas _____ de _____ _____ que estão na _____.
— Com certeza. Que _____ calça?
— O 36.
— Só um momento que eu vou buscar.
....
— Aqui estão.
— Só tem nesta _____?
— Não, temos também em _____ e em _____.
— Queria experimentar em _____.
— Com certeza. Vou buscar.
— Obrigada.

4. COMPLETE AS PALAVRAS COM AS CONSOANTES EM FALTA E ENCONTRE OBJETOS DE JOALHARIA.

a. ___U____ _____EI____A
b. _____ _____I____ ____O____
c. A___IA____ _____A
d. ____E____Ó___IO
e. A___E____
f. ___ _____E____A___EI___A
g. ___IO

5. DE ACORDO COM O TEXTO, ASSINALE QUAIS DAS SEGUINTES AFIRMAÇÕES SÃO VERDADEIRAS OU FALSAS.

A Catarina foi a uma lavandaria para mandar limpar uma gabardina que não pode ser lavada na máquina de lavar roupa. Entregou a gabardina. Pagou, guardou o recibo e foi buscá-la dois dias depois.

Ao chegar a casa, reparou que faltava um botão na manga direita da gabardina. Voltou à lavandaria e perguntou pelo botão que faltava. Responderam-lhe que não tinham encontrado nenhum botão perdido. No caminho para casa, lembrou-se que se tinha esquecido de coser o botão antes de mandar limpar a gabardina e que ele estava na caixa de costura.

	V	F
a. A Catarina dirigiu-se a uma lavandaria.		
b. A Catarina mandou limpar um impermeável.		
c. A Catarina não pode lavar a gabardina em casa.		
d. A Catarina esqueceu-se do recibo na loja.		
e. A Catarina foi buscar a gabardina duas semanas depois.		
f. A Catarina reparou que faltavam dois botões.		
g. O botão estava em casa.		

6. DESCUBRA O INTRUSO NAS SEGUINTES SÉRIES LÓGICAS.

a. botas, botins, bermudas, galochas

b. chinelos, havaianas, sapatos, sandálias

c. brincos, pregadeira, colar, chapéu

d. gabardina, impermeável, biquíni, chapéu de chuva

e. biquíni, fato de banho, calções, casaco

f. boné, chapéu, gorro, gravata

g. lenço, echarpe, cachecol, luvas

7. COMPLETE AS PALAVRAS COM AS VOGAIS EM FALTA E ENCONTRE ROUPA PARA O FRIO.

a. S___BR____T___D____

b. C___CH____C___L

c. L___V___S

d. G__RR___

e. M___ ____ ___S

f. ___N___R___Q___E

g. C___M___SO___A D___ ___Ã

18 VIAGENS E DESLOCAÇÕES

18.1. MEIOS DE TRANSPORTE

PORTUGUÊS	ENGLISH	ESPAÑOL	DEUTSCH	FRANÇAIS
andar, *v.tr.* (de comboio/avião/barco)	travel by train/plane/boat	viajar en tren/avión/barco	mit dem Zug fahren/dem Flugzeug fliegen/dem Schiff fahren	voyager en train/en avion/en bateau
apanhar, *v.tr.* (o comboio/o avião/o barco)	catch the train/plane/boat	coger el tren/el avión/barco	den Zug/das Flugzeug/das Schiff nehmen	prendre le train/l'avion/le bateau
autocarro, *s.m.*	bus	autobús	Bus	autobus
autoestrada, *s.f.*	motorway	autopista	Autobahn	autoroute
automóvel, *s.m.*	car	automóvil	Kraftfahrzeug	automobile
avião, *s.m.*	plane	avión	Flugzeug	avion
barco, *s.m.*	boat	barco	Boot	bateau
bicicleta, *s.f.*	bicycle	bicicleta	Fahrrad	vélo
camião, *s.m.*	truck, lorry	camión	Lastwagen	camion
camioneta, *s.f.*	bus, coach, van	camioneta	Lieferwagen	fourgonnette
carro, *s.m.*	car	coche	Auto	voiture
carruagem, *s.f.*	carriage	vagón	Wagon	wagon
comboio, *s.m.*	train	tren	Zug	train
conduzir, *v.tr.*	to drive	conducir	fahren	conduire
elétrico, *s.m.*	tram	tranvía	Straßenbahn	tramway
guiar, *v.tr.*	to drive, to steer	conducir	lenken	diriger
helicóptero, *s.m.*	helicopter	helicóptero	Hubschrauber	hélicoptère
metropolitano, *s.m.*	metro	metropolitano	U-Bahn	métro
mota, *s.f.*	motorcycle	moto	Motorrad	moto
motorista, *s.m. e f.*	driver	conductor	Fahrer(in)/Chauffeur(in)	chauffeur
motorizada, *s.f.*	moped	motocicleta	Mofa	motocyclette
navio, *s.m.*	ship	barco	Schiff	navire
reboque, *s.m.*	trailer	remolque	Anhänger/Abschleppwagen	remorque
táxi, *s.m.*	taxi	taxi	Taxi	taxi
taxista, *s.m. e f.*	taxi driver	taxista	Taxifahrer(in)	chauffeur de taxi
vagão-restaurante, *s.m.*	restaurant car	vagón restaurante	Speisewagen	wagon-restaurant
veículo, *s.m.*	vehicle	vehículo	Fahrzeug	voiture
viagem, *s.f.*	journey	viaje	Reise	voyage

18.2. PONTOS CARDEAIS E DIREÇÕES

PORTUGUÊS	ENGLISH	ESPAÑOL	DEUTSCH	FRANÇAIS
este, *s.m.*	east	este	Osten	est
leste, *s.m.*	east	este	Osten	oriental
nordeste, *s.m.*	northeast	nordeste	Nordost	nord-est
noroeste, *s.m.*	northwest	noroeste	Nordwest	nord-ouest
norte, *s.m.*	north	norte	Norden	nord
oeste, *s.m.*	west	oeste	Westen	ouest
rosa dos ventos, *s.f.*	compass rose	rosa de los vientos	Windrose	rose des vents
sudeste, *s.m.*	southeast	sudeste	Südosten	sud-est
sudoeste, *s.m.*	southwest	sudoeste	Südwesten	sud-ouest
sul, *s.m.*	south	sur	Süden	sud
Direções:	**Directions:**	**Direcciones:**	**Richtungen:**	**Directions:**
à direita, *s.f.*	to/on the right	a la derecha	(nach) rechts	à droite
à esquerda, *s.f.*	to/on the left	a la izquierda	(nach) links	à gauche
avenida, *s.f.*	avenue	avenida	Hauptstraße	boulevard
cortar, *v.intr.*	to cross, to intersect	cortar	abbiegen	tourner
cruzamento, *s.m.*	intersection, crossroads	cruce	Kreuzung	carrefour
em frente, *loc.prep.*	straight ahead	todo seguido	geradeaus	tout droit
esquina, *s.f.*	corner	esquina	Ecke	coin
estrada, *s.f.*	road	carretera	Haupt-; Bundesstraße	route
ir, *v.tr.*	to go	ir	gehen	aller
passadeira, *s.f.*	pedestrian crossing	paso de cebra	Zebrastreifen	passage pour piétons
passeio, *s.m.*	pavement	acera	Gehweg	trottoir
praça, *s.f.*	square	plaza	Platz	place
quarteirão, *s.m.*	block	manzana	Häuserblock	bloc
rotunda, *s.f.*	roundabout	rotonda	Kreisverkehr	rond-point
rua, *s.f.*	street	calle	Straße	rue
seguir, *v.tr. e intr.*	to go (in a direction)	seguir	folgen	poursuivre
semáforo, *s.m.*	traffic light	semáforo	Ampel	feux
virar, *v.tr.*	to turn	girar	abbiegen	tourner

18.3. VIAJAR

PORTUGUÊS	ENGLISH	ESPAÑOL	DEUTSCH	FRANÇAIS
agência de viagens, s.f.	travel agency	agencia de viajes	Reisebüro	agence de voyages
atraso, s.m.	delay	retraso	Verspätung	retard
bagagem, s.f.	luggage	equipaje	Gepäck	bagage
bilhete, s.m. (de ida e volta)	ticket (round trip)	billete (de ida y vuelta)	Ticket (Hin- und Rückfahrt)	billet (d'aller et retour)
bilheteira, s.f.	ticket office	taquilla	Fahrkartenschalter	guichet de billets
boleia, s.f.	lift (hitchhiking)	llevar a alguien en el coche	per Anhalter fahren	faire de l'auto-Stop
cais, s.m.	quay	embarcadero	Kai	quai
cancelar, v.tr.	to cancel	cancelar	stornieren	annuler
chegada, s.f.	arrival	llegada	Ankunft	arrivée
chegar, v.tr., intr. e pron.	to arrive	llegar	ankommen	arriver
engarrafamento, s.m.	traffic jam	embotellamiento	Stau	embouteillage
estação, s.f.	station	estación	Bahnhof	gare
estação de serviço, s.f.	service station	estación de servicio	Tankstelle	station-service
estadia, s.f.	stay	estancia	Aufenthalt	séjour
estrangeiro, s.m.	abroad	extranjero	Ausland	étranger
folheto, s.m.	leaflet	folleto	Faltblatt	brochure
gare, s.f.	station platform	estación	Bahnsteig	quai
horário, s.m.	timetable	horario	Fahrplan	horaire
ida, s.f.	trip; outward journey	ida	Hinfahrt	aller
linha, s.f.	line	línea	Gleis	voie
lugar, s.m. (reservado)	seat (reserved)	plaza (reservada)	(reservierter) Platz	place (réservé)
marcação, s.f.	booking	reserva	Reservierung; Termin	réserve
paragem, s.f.	(bus/tram) stop	parada	Haltestelle	arrêt
parque de estacionamento, s.m.	car park	aparcamiento	Parkplatz	parking
parquímetro, s.m.	parking meter	parquímetro	Parkuhr	parcmètre
partida, s.f.	departure	partida	Abfahrt; Abflug	départ
partir, v.tr. e intr.	to depart	partir	abfahren	partir
passageiro, s.m.	passenger	pasajero	Passagier; Fahrgast	passager
passagem, s.f.	passage	pasaje	Ticket	ticket
passe, s.m.	(bus/tram/rail) pass	pase	Zeitkarte	abonnement
peão, s.m.	pedestrian	peatón	Fußgänger	piéton
prospeto, s.m.	advertising brochure	prospecto	Prospekt	prospectus
reserva, s.f.	reservation	reserva	Reservierung	réservation
revisor, s.m.	(bus/tram/train) inspector	revisor	Schaffner	contrôleur
sair, v.tr. e intr.	to leave, to get off (public transport)	salir	aussteigen	sortir
semáforo, s.m.	traffic light	semáforo	Ampel	feux

PORTUGUÊS	ENGLISH	ESPAÑOL	DEUTSCH	FRANÇAIS
tarifa, s.f.	fare	tarifa	Fahrpreis	tarif
título de transporte, s.m.	ticket or pass	título de transporte	Fahrkarte	billet
turismo, s.m.	tourism	turismo	Tourismus	tourisme
turista, s.m. e f.	tourist	turista	Tourist	touriste
viagem, s.f. (de negócios/ de trabalho/de lazer)	journey, trip (business/ working/leisure)	viaje (de negocios/de trabajo/de ocio)	Reise (Geschäfts~/ Dienst~/Urlaubs~)	voyage (d'affaires/de service/de vacances)
volta, s.f.	return	vuelta	Rückfahrt; Rückkehr	retour

18.4. FÉRIAS

PORTUGUÊS	ENGLISH	ESPAÑOL	DEUTSCH	FRANÇAIS
acampar, v.tr.	to camp	acampar	campen	camper
caminhada, s.f.	walk, hike	caminata	Wanderung	promenade
caminhar, v.tr. e intr.	to walk, to hike	caminar	wandern	se promener
campo, s.m.	countryside, field	campo	Land	campagne
caravana, s.f.	caravan	caravana	Wohnwagen	caravane
cruzeiro, s.m.	cruise ship	crucero	Kreuzfahrt	croisière
esqui, s.m.	ski	esquí	Ski	ski
esquiar, v.intr.	to ski	esquiar	Skifahren	skier
excursão, s.f.	excursion	excursión	Ausflug	excursion
guia, s.m. e f.	guide	guía	Reiseführer	guide
montanha, s.f.	mountain	montaña	Berg	montagne
neve, s.f.	snow	nieve	Schnee	neige
parque de campismo, s.m.	campsite	camping	Campingplatz	terrain de camping
passeio, s.m.	walk, ride, excursion	paseo	Spaziergang	promenade
piquenique, s.m.	picnic	picnic	Picknick	pique-nique
Praia:	**Beach:**	**Playa:**	**Strand:**	**Plage:**
apanhar, v.tr. (sol)	to sunbathe	tomar el sol	sonnenbaden	prendre un bain de soleil
areia, s.f.	sand	arena	Sand	sable
barco à vela, s.m.	sailing boat	barco de vela	Segelboot	bateau à voile
barraca, s.f.	tent	caseta	Bude	baraque
beira-mar, s.f.	seaside	orilla	Strandpromenade	bord de mer
boia, s.f.	buoy	boya	Boje	bouée
bola, s.f.	ball	pelota	Ball	ballon
brincar, v.intr.	to play	jugar	spielen	jouer
bronzeado, s.m.	tanned	moreno	gebräunt	bronzé
búzio, s.m.	whelk	caracola	Tritonshorn	buccin
cadeira de praia, s.f.	deckchair	silla de playa	Strandstuhl	chaise de plage
castelo de areia, s.m.	sandcastle	castillo de arena	Sandburg	château de sable

PORTUGUÊS	ENGLISH	ESPAÑOL	DEUTSCH	FRANÇAIS
chapéu de sol, s.m.	sunhat	sombrilla	Sonnenschirm	parasol
concha, s.f.	conch	concha	Muschel	coquille
dar, v.tr. (mergulhos)	to dive, to take a dip	zambullirse	tauchen	plonger
espreguiçadeira, s.f.	sun lounger	tumbona	Liegestuhl	chaise longue
estar, v.tr. (ao sol/à sombra)	to lie in the sun/the shade	estar al sol/a la sombra	an der Sonne/im Schatten liegen	reposer au soleil/reposer à l'ombre
estender, v.tr. (a toalha)	to spread a towel	extender la toalla	das Handtuch ausbreiten	s'installer sur la serviette de plage
estrela-do-mar, s.f.	starfish	estrella de mar	Seestern	astéride
fazer, v.tr. (surfe)	to surf	hacer surf	surfen	faire de la planche
iate, s.m.	yacht	yate	Yacht	yacht
mar, s.m.	sea	mar	Meer	mer
maré, s.f.	tide	marea	Gezeiten	marée
mergulhar, v.tr. e intr.	to dive to take a dip	zambullirse, hacer submarinismo	ins Wasser springen/tauchen	plonger
mergulho, s.m.	dive	zambullida, submarinismo	Tauchen/Sprung ins Wasser	plongée
nadador-salvador, s.m.	lifeguard	socorrista	Rettungsschwimmer	maitre-nageur
nadar, v.intr.	to swim	nadar	schwimmen	nager
onda, s.f.	wave	ola	Welle	vague
praia fluvial, s.f.	river beach	playa fluvial	Flussstrand	plage fluviale
prancha de surfe, s.f.	surfboard	tabla de surf	Surfbrett	planche de surf
protetor solar, s.m.	sunblock	protector solar	Sonnenschutz	protection solaire
surfe, s.m.	surf	surf	Surfen	surf
surfista, s.m. e f.	surfer	surfista	Surfer	surfeur
toalha, s.f.	towel	toalla	Handtuch	serviette de plage
toldo, s.m.	awning	toldo	Sonnendach	tente de plage
veleiro, s.m.	sailboat	velero	Segelschiff	voilier

18.5. AEROPORTO

PORTUGUÊS	ENGLISH	ESPAÑOL	DEUTSCH	FRANÇAIS
alfândega, s.f.	customs	aduana	Zoll	douane
aterragem, s.f.	landing (plane)	aterrizaje	Landung	atterrissage
aterrar, v.tr.	to land	aterrizar	landen	atterrir
bagagem, s.f.	luggage	equipaje	Gepäck	bagage
bilhete de identidade, s.m.	identity card	carné de identidad	Ausweis	carte d'identité
cartão de cidadão, s.m.	citizen's card	tarjeta de ciudadano	Bürgerkarte	carte du citoyen
cartão de embarque, s.m.	boarding pass	tarjeta de embarque	Bordkarte	carte d'embarquement
comissário de bordo, s.m.	flight attendant	asistente de vuelo	Flugbegleiter	steward

PORTUGUÊS	ENGLISH	ESPAÑOL	DEUTSCH	FRANÇAIS
companhia aérea, s.f.	airline	compañía aérea	Fluggesellschaft	compagnie aérienne
descolagem, s.f.	take-off	despegue	Start	décollage
descolar, v.tr.	to take off	despegar	starten	décoller
fronteira, s.f.	border	frontera	Grenze	frontière
hospedeira, s.f.	stewardess	azafata	Flugbegleiterin	hôtesse de l'air
levantar, v.tr. (voo)	to take off	levantar vuelo	abheben	décoller
mala, s.f.	suitcase	maleta	Koffer	valise
passageiro, s.m.	passenger	pasajero	Passagier	passager
passaporte, s.m.	passport	pasaporte	Pass	passeport
piloto, s.m. e f.	pilot	piloto	Pilot	pilote
porta de embarque, s.f.	boarding gate	puerta de embarque	Flugsteig	porte d'embarquement
SEF (Serviço de Estrangeiros e Fronteiras), s.m.	Aliens and Borders Service	SEF (Servicio de Extranjeros y Fronteras)	Ausländeramt	OFII (Office Français de l'Immigration et de l'Intégration
terminal, s.m.	terminal	terminal	Terminal	terminal
trem de aterragem, s.m.	landing gear	tren de aterrizaje	Fahrwerk	train d'atterrissage
visto, s.m.	visa	visado	Visum	visa
voo, s.m.	flight	vuelo	Flug	vol

1. **ELIMINE A SÍLABA INTRUSA, ORGANIZE AS RESTANTES E ENCONTRE PALAVRAS RELACIONADAS COM FÉRIAS.**

a. EX   COR   SÃO   CUR   _____

b. PRAI   PRE   A   _____

c. RO   CRU   RA   ZEI   _____

d. PAR   A   CAM   POR   _____

e. QUE   QUE   PA   NI   PI   _____

f. NHA   TA   TO   MON   _____

2. **COMPLETE AS PALAVRAS COM AS CONSOANTES EM FALTA E ENCONTRE PALAVRAS RELACIONADAS COM OS MEIOS DE TRANSPORTE.**

a. E____ ____A____ ____A____A____E____ ____O

b. ____E___Á___O___O

c. AU____O___Ó___E____

d. AU____O____A____ ____O

e. E____É____ ____I___O

f. ____I____ ____E___EI____A

g. ____A____A____E____

3. ORDENE AS FRASES E ORGANIZE A HISTÓRIA.

☐ e teve de cancelar a reserva.

☐ Foi a uma agência de viagens,

☐ e a estadia num hotel com pensão completa.

☐ A Carolina queria ir de férias para as Caraíbas.

☐ reservou o bilhete de avião

☐ Mas, adoeceu nessa altura

4. DE ACORDO COM O TEXTO, ASSINALE QUAIS DAS SEGUINTES AFIRMAÇÕES SÃO VERDADEIRAS OU FALSAS.

A Alice vai de férias para o Brasil num voo da TAP, que parte às oito da manhã. Chegou ao aeroporto muito cedo, dirigiu-se ao balcão de *check-in* para despachar a bagagem, guardou o cartão de embarque e, como era ainda muito cedo, foi beber um café e ler uma revista.

Quando a Alice olhou para o painel informativo, viu que o seu voo estava atrasado duas horas! Levantou-se e foi ao balcão perguntar o que se passava. Uma avaria técnica no trem de aterragem, responderam-lhe. Bom, melhor que reparem o trem aqui do que não poder aterrar em terras de Vera Cruz, duas horas passam depressa, pensou. E, foi até à zona *Duty Free Shop* fazer compras.

	V	F
a. A Alice vai trabalhar para o Brasil.		
b. Ela vai numa companhia aérea brasileira.		
c. Vai viajar de manhã.		
d. A Alice esqueceu-se do cartão de embarque em casa.		
e. Ela tomou o pequeno-almoço no aeroporto.		
f. O avião tinha uma avaria no motor.		
g. A Alice foi fazer compras.		

5. COMPLETE O DIÁLOGO COM AS PALAVRAS DO QUADRO.

taxas	bilhete	alojamento	passagem
casa	férias	estadia	

Numa agência de viagens:

— Bom dia.

— Bom dia. Como está?

— Bem obrigado. E a senhora?

— Vai-se andando, obrigada.

— Então, o que a traz por cá hoje?

— Queria um _____ de avião para Roma.

— Para quando?

— Queria ir na sexta-feira, dia 12, e regressar no domingo, dia 21. Assim, tenho praticamente dez dias de _____.

— Dia 12 deste mês?

— Sim, sim. Veja lá se me arranja uma _____ baratinha.

— Então, e o _____?

— Tenho lá amigos a viver e vou ficar em _____ deles.

— Que sorte! Assim poupa a _____.

— É verdade! Então, já arranjou alguma coisa?

— Tenho aqui uma a 240 euros já com as _____ incluídas.

— Está bem. Pode comprar.

— Nesta altura, já não vai conseguir mais barata.

— Vou comprar.

6. DESCUBRA O INTRUSO NAS SEGUINTES SÉRIES LÓGICAS.

a. surfe, areia, aviões, bronzeador, nadar

b. árvores, floresta, quinta, mergulhar, flores

c. norte, autoestrada, sul, leste, sudeste

d. avião, pista, aterrar, voar, descolar

e. praia, sol, toalha, gelados, montanha

f. termas, piscina, jacuzzi, praia, floresta

g. árvores, arbustos, plantas, toalhas, flores

7. RELACIONE OS VERBOS COM A RESPETIVA PALAVRA.

1. apanhar	**a.** surfe
2. dar	**b.** na areia
3. brincar	**c.** a toalha
4. fazer	**d.** mergulhos
5. estender	**e.** sol
6. comer	**f.** bronzeador
7. pôr	**g.** gelados

8. COLOQUE AS PALAVRAS NA COLUNA ADEQUADA.

piloto	estação	leste	aterrar
toalha	este	sudoeste	protetor solar
terminal	revisor	gare	voo
sul	cais	surfe	apanhar sol

PRAIA	COMBOIOS	AEROPORTO	PONTOS CARDEAIS

9. SIGA O RACIOCÍNIO LÓGICO.

A. Assim como norte está para sul, este está para

- a. ☐ sudeste
- b. ☐ nordeste
- c. ☐ oeste
- d. ☐ leste

B. Assim como carruagem está comboio, aterrar está para

- a. ☐ barco
- b. ☐ avião
- c. ☐ hidroavião
- d. ☐ navio

C. Assim como parquímetro está para parque de estacionamento, esquiar está para

- a. ☐ praia
- b. ☐ floresta
- c. ☐ campo
- d. ☐ neve

SOLUÇÕES

1. ALIMENTAÇÃO

1.

— Bom dia, D. Mariana, como tem passado?
— Vai-se andando, como Deus quer.
— Então, faça o favor de dizer.
— Queria quatro **carcaças** e três **bolas** da **avó** para a minha vizinha.
— Bem ou mal **cozidas**?
— Prefiro o pão mal **cozido**.
— Eu cá também prefiro o pão assim.
— Também eu. Ora cá estão. É tudo?
— Queria levar também dois **pãezinhos** de **leite** para o meu lanche.
— Ora cá estão eles.
— Quanto é tudo?
— Dois euros e oitenta cêntimos.
— Aqui está o seu troco. E obrigada.
— Adeus, até amanhã.

2.

C	A	F	E	T	A	R	I	A
A	X	C	B	A	R	E	O	P
N	Z	B	J	S	L	F	N	G
T	P	A	Q	C	R	E	S	E
I	J	R	L	A	M	I	N	L
N	O	P	Q	R	S	T	U	A
A	V	C	X	E	F	O	G	T
H	I	A	J	X	R	R	H	A
B	P	I	Z	A	R	I	A	R
X	H	E	G	Z	I	O	R	I
B	A	R	E	T	A	R	I	A

3.

a. E S T U F A D O
b. G R E L H A D O
c. F R I T O
d. C O Z I D O
e. A S S A D O
f. G R A T I N A D O

4.

— Hannah, por aqui? Tudo bem?
— Tudo bem!

— Pensei que já não estavas em Portugal!

— Decidi ficar mais uma semana de férias! Gosto tanto de Portugal! O clima, as pessoas, a comida...

— Falando nisso, vamos **lanchar**?

— A esta hora?

— Sim, é a hora do **lanche**. Cinco, seis. Espera aí, o nosso **lanche** não é o *lunch* inglês! É uma pequena **refeição**, a meio da tarde.

— E o que costumam comer?

— Pode ser um sumo e uma **tosta** ou um chá e umas **torradas**, por exemplo.

— E a que horas **jantam**?

— Normalmente, entre as 20 horas e as 21 horas.

— Ah, pois. No meu país **jantamos** às 6 horas! E a que horas **almoçam**? Vi pessoas a almoçar às 3 da tarde, e como vocês aqui dizem: de **faca** e **garfo**!

— Bem, a conversa está a abrir-me o **apetite**.

— Vamos lanchar?

— Vamos!

5.

a. galão
b. garoto
c. café pingado
d. meia de leite

6. SUGESTÃO:

a. cereais
b. leite
c. ovos
d. açúcar
e. bolachas
f. sumos
g. batatas

7.

— Boa noite.

— Boa noite.

— Façam o favor de dizer.

— Queres sopa?

— Quero. Quero uma de **cenoura**.

— Eu cá não me apetece.

— Muito bem, é uma sopinha. E que mais vai ser?

— E se comêssemos uma **dose** de **carne** de **porco** à alentejana?

— Não me apetece comer **carne** agora à noite. Queria uma coisa mais levezinha.

— O bacalhau **grelhado** na **brasa** está muito bom.

— O **bacalhau** também é muito pesado. Queria uma **dourada** grelhada. Qual é o **acompanhamento**?

— Batatas cozidas com **legumes** cozidos.

— Que legumes é que tem?

— Brócolos, espinafres e feijão-verde.

— Então, queria com **brócolos** e **espinafres cozidos**.

— E, para o senhor?

— Queria uma **dose** de **arroz** de **polvo**.

— Muito bem. E para beber?

— Apetece-te um vinho **verde**?

— Sim, sim.

— Uma garrafa de 75 cl., para começar?

— Sim, e bem **fresquinho**!

....
Algum tempo depois...
— Vão desejar sobremesa?
— Eu queria uma **baba** de **camelo**.
— Eu queria um **arroz-doce**.
— Cá estão elas. Cafés, vão desejar?
— Eu não. Se bebo a esta hora, não durmo de certeza.
— Eu queria um café com **cheirinho**.
— Mais alguma coisa?
— Não, é tudo. Trazia-me a **conta**, por favor?
— Com certeza.
— Boa noite e obrigada.

8.

a. tasca
b. gelataria
c. gelado
d. vinagre

2. ALOJAMENTO

1.

A. c.
B. b.
C. a.

2.

a. F
b. F
c. V
d. F
e. V
f. V
g. F

3.

a. P E N S Ã O
b. P O U S A D A
c. T E R M A S
d. R E S I D E N C I A L
e. E S T A L A G E M
f. T U R I S M O R U R A L
g. A G R O T U R I S M O

4.

1. b.
2. c.
3. a.
4. g.
5. f.
6. e.
7. d.

5.

QUARTO	RECEÇÃO	PARQUE DE CAMPISMO
beliche	chave	tenda
cama	reservar	rede de dormir
cobertor	gerente	saco-cama
toalha	porteiro	caravana

6.

— Boa noite.

— Boa noite. Fizemos uma **reserva** para um **quarto duplo**.

— A **reserva** foi feita há quanto tempo?

— Há um mês. Pela Internet.

— Ah! Aqui está a **confirmação**, feita em nome de Carlos Duarte, por uma semana.

— Exatamente. Têm **serviço** de **despertar**?

— Com certeza. A que horas desejam ser acordados?

— Às oito.

— Muito bem.

— Até que horas podemos tomar o **pequeno-almoço**?

— O pequeno-almoço é servido entre as sete horas e as dez horas, na sala de jantar do rés do chão.

— O hotel tem **piscina** interior, não é verdade? Vi fotografias no vosso *site*.

— Sim, temos uma piscina interior que podem utilizar até às 20 horas.

— Que bom!

— Aqui têm a vossa **chave** e desejo-vos uma ótima **estadia**.

7.

a. loja

b. cobertor

c. piscina

d. hotelaria

e. porteiro

f. lâmpada

g. lenço

3. ANIMAIS

1.

a. G O R I L A

b. B A L E I A

c. E L E F A N T E

d. L O B O

e. Z E B R A

f. T I G R E

g. U R S O

2.

QUINTA	SELVA	AR	MAR
cão	elefante	gaivota	orca
galo	tigre	cegonha	baleia
cavalo	zebra	águia	golfinho
vaca	gorila	andorinha	tubarão

3.

I	G	U	A	N	A	T	X	I
R	T	Z	Q	G	R	A	H	P
O	X	E	H	R	A	R	T	A
U	I	A	A	S	R	A	D	P
H	J	E	P	L	A	N	C	A
V	B	I	I	N	X	T	L	G
T	A	R	T	A	R	U	G	A
Z	X	O	A	U	V	L	R	I
A	S	D	O	Z	L	A	F	O

4.

a. arara
b. capoeira
c. gado
d. grilo
e. iguana

5.

1. d.
2. c.
3. f.
4. e.
5. b.
6. a.

6.

a. V
b. F
c. F
d. F
e. F
f. F
g. F

7.

a. Muitos portugueses comem peru no Natal.
b. Os gatos gostam de caçar ratos.
c. A matança do porco é uma tradição bárbara.
d. As abelhas fabricam mel.
e. Naquele lago há muitos patos.
f. Alguns portugueses são vegetarianos.
g. Das ovelhas extrai-se lã.

8.

2
7
1
5
4
3
6

9.

a. galinha
b. porco
c. burro
d. ovelha
e. cavalo
f. cadela
g. cabra

10.

O Lince Ibérico

Inaugurado em maio de 2009, o Centro Nacional de Reprodução em Cativeiro para o Lince Ibérico, na herdade de Santinhas em Silves, tem como objetivo preparar os **linces** para serem selvagens e que ali aguardam o momento de serem libertados na **natureza**, em território português ou espanhol. O lince **ibérico** é a espécie felina mais ameaçada do mundo, classificada como criticamente em perigo de **extinção** na Lista Vermelha Internacional para a Conservação da Natureza. A salvação deste **felino** é o objetivo do projeto ibérico LIFE Iberlince (2011-2016), através da reprodução em **cativeiro**, para depois serem lançados na natureza.

4. CARDINAIS, ORDINAIS E TERMOS MATEMÁTICOS

1.

a. R A I Z Q U A D R A D A
b. T R I P L O
c. T O N E L A D A
d. M E T A D E
e. P E R C E N T A G E M
f. D O B R O
g. D Í G I T O

2.

a. quadro
b. oval
c. terço
d. reta
e. somatório
f. oitavo
g. triplicar

3.

A. c.
B. d.
C. c.

4.

a. prisma
b. reto
c. pentágono
d. milhão
e. vigésimo
f. dividir
g. álgebra

5.

a. sólido geométrico
b. ângulo
c. figura geométrica
d. cardinal
e. ordinal
f. operação aritmética
g. ramo da Matemática

6.

3
4
5
2
6
1
7

7.

A. b.
B. c.
C. c.

8.

1. c.
2. d.
3. e.
4. f.
5. g.
6. b.
7. a.

9.

Bento de Jesus Caraça (1901-1948)

Bento de Jesus Caraça foi um **matemático** português que nasceu em Vila Viçosa, no Alentejo e que desde cedo revelou grande capacidade **intelectual** e apetência para o estudo. Aos vinte e dois anos concluiu a sua **licenciatura** no Instituto Superior de Ciências Económicas e **Financeiras** (I.S.C.E.F.). Lecionou as cadeiras de «Matemáticas Superiores-Análise Infinitesimal, Cálculo das Probabilidades e suas Aplicações» e «Matemáticas Superiores-Álgebra Superior. Princípios de Análise Infinitesimal. Geometria Analítica». Desenvolveu intensa atividade **científica** e pedagógica, espelhada em inúmeras publicações de cursos, conferências e **colóquios**. Foi um dos **fundadores** da Sociedade Portuguesa de **Matemática** em dezembro de 1940, onde viria também a ser presidente. Em 1940 fundou a *Gazeta de Matemática* e em 1941 a Biblioteca Cosmos, publicando 114 títulos e 793 500 exemplares. Nesta coleção, publicou o seu livro *Conceitos Fundamentais da Matemática*, considerada até hoje obra de referência na abordagem e estudo desta disciplina. *Lições de* **Álgebra** *e Análise*, editada em 1935 e revista em 1945, provocou um grande impacto entre os **estudantes** da época, apresentando a matemática com uma **linguagem** inovadora, abordada de forma fascinante e clara.

5. CASA

1.
   a. F
   b. V
   c. V
   d. F
   e. F

2.
   1. e.
   2. d.
   3. b.
   4. g.
   5. f.
   6. c.
   7. a.

3.
   a. tigela
   b. colchão
   c. rádio
   d. chaminé
   e. chá

4.
   a. PANELA
   b. COLHER
   c. GRELHADOR
   d. LIXÍVIA

5.
   a. utensílio de cozinha
   b. talher
   c. eletrodoméstico
   d. produto de limpeza

6.
   a. A U T O C L I S M O
   b. B I D É
   c. L A V A T Ó R I O
   d. E S P O N J A
   e. S A N I T A

7.
   A. c.
   B. d.
   C. c.

1.

a. TROPICAL
b. FURACÃO
c. ATLÂNTICO
d. RECICLAGEM

2.

a. clima
b. fenómeno atmosférico
c. clima temperado
d. preocupação ambiental

3.

A camada de ozono

O **ozono** acumula-se principalmente na região da **atmosfera**, onde é produzido, numa **camada** com cerca de 15 km de espessura. A **camada** de **ozono** desempenha um papel fundamental para a **vida** na **Terra**, ao absorver grande parte (mais de 95%) da radiação **ultravioleta** proveniente do **sol** que, de outro modo, atingiria a Terra. A camada de ozono é tudo o que nos protege de uma perigosa **radiação** proveniente do sol.

4.

D	Z	X	Y	A	P	W	Q	E
A	X	N	P	U	V	Z	D	V
D	**E**	**S**	**E**	**R**	**T**	**I**	**C**	**O**
T	**E**	**M**	**P**	**E**	**R**	**A**	**D**	**O**
A	S	D	F	G	**O**	H	J	K
Z	**P**	X	C	V	**P**	B	N	J
Q	**O**	W	E	R	**I**	T	U	I
A	**L**	S	D	F	**C**	F	G	H
J	**A**	K	L	C	**A**	Z	X	C
V	**R**	B	N	M	**L**	O	L	P

5.

6
3
1
7
2
4
5

6.

a. TROVOADA
b. ABAFADO
c. NUBLADO
d. CHUVADA

7.

a. E F E I T O D E E S T U F A
b. C A M A D A D E O Z O N O
c. E M I S S Ã O D E G A S E S
d. C H U V A Á C I D A

8.

a. chuva
b. chuva ácida
c. furacão
d. ecossistema
e. impacto ambiental
f. frio
g. atlântico

9.

a. F
b. V
c. V
d. F
e. V
f. F
g. F

7. CORPO HUMANO, HIGIENE E SAÚDE

1.

a. a cabeça
   a garganta
   a barriga
   o peito
b. as costas
   os ouvidos
   as pernas
   os pés

2.

1. g.
2. e.
3. f.
4. c.
5. a.
6. d.
7. b.

3.

a. dor de cotovelo
b. ambulância
c. orelhas
d. alegre

4.

7
2
6
1
3
8
4
9
5

5.

a. Os médicos de família dão consulta no centro de saúde.
b. A gastrenterologia é a especialidade que trata doenças do aparelho digestivo.
c. A estomatologia é a especialidade que trata dos dentes.
d. A amigdalite trata-se com antibiótico.
e. Os doentes diabéticos têm prioridade no atendimento hospitalar.

6.

Q	W	E	R	T	N	U	I	O
P	C	O	S	T	A	S	A	S
D	O	F	G	B	R	A	Ç	O
H	R	I	M	J	I	K	L	C
C	A	R	A	Z	Z	P	X	A
O	Ç	C	O	B	N	E	M	B
X	Ã	P	Q	W	E	R	T	E
A	O	É	Y	U	I	N	P	L
A	S	D	F	R	C	A	B	O

7.

a. F
b. F
c. F
d. V

8.

1. c.
2. g.
3. d.
4. e.
5. f.
6. b.
7. a.

9.

Sobre as termas

Com séculos de utilização, os **tratamentos** termais definem-se como um conjunto de técnicas que ligam o contacto da **água** mineral com outros meios de tratamento. Muitos portugueses procuram o bem-estar **termal** para tratamentos preventivos, revitalizantes e **anti-stress**. As **termas** oferecem também estadias que contemplam o descanso físico, psíquico, emocional e tratamentos de beleza e estéticos, **massagens**, saunas e banhos turcos.

8. DESPORTO

1.

— Olá, viva, por aqui?

— Pois é. Venho saber as condições de **admissão**. Andas aqui?

— Sim, no **ginásio**, na sala de **musculação**. É o ideal para mim. Venho quando me dá jeito, a qualquer hora do dia e qualquer dia da semana.

— Eu não gosto muito de estar ali sozinha com as **máquinas**... Prefiro uma **modalidade** em grupo, aulas com música...

— Ah, então tens aqui muito por onde escolher: ginástica de **manutenção**, pilates, dança-jazz... Aqui existem todas as modalidades e para todos os gostos: em grupo, em pares, sozinhos...

— Bem, tenho de ir, estou na minha hora de almoço. Mas, vamos ver-nos por aqui. Até podíamos combinar um café no bar do ginásio.

— Claro!

— Então, está combinado. Assim que me inscrever, digo-te. Adeus.

— Adeus.

2.

a. HIPISMO
b. ESGRIMA
c. BOXE
d. ESQUI
e. ATLETISMO
f. FUTEBOL
g. GINÁSTICA

3.

a. V
b. F
c. V
d. F
e. F
f. V

4.

5
2
4
6
3
7
1

5.

a. BALIZA
b. APITO
c. ÁRBITRO
d. TREINADOR

6.

O futebol é o **desporto** mais popular em Portugal e aquele que **movimenta** mais dinheiro e mais paixões. A **razão** de tanta **popularidade** prende-se com o facto de termos **jogadores** e **treinadores** muito bons: os **melhores** do mundo! E neles projetamos o nosso próprio sucesso coletivo. Isso faz do **futebol** o desporto rei, eleito pelos portugueses.

7.

a. tiro
b. pilates
c. andebol
d. badminton

9. ENSINO

1.

a. F
b. V
c. F
d. V

2.

a. BIOLOGIA
b. ENCICLOPÉDIA
c. QUADRO
d. AGRAFADOR
e. BORRACHA
f. FILOSOFIA
g. LÁPIS

3.

a. disciplina
b. obra de consulta
c. mobiliário escolar
d. objeto que serve para agrafar
e. objeto que serve para apagar letras ou números no papel
f. disciplina
g. objeto que serve para escrever

4.

a. B O R R A C H A
b. R É G U A
c. L Á P I S
d. C A N E T A
e. A F I A-L Á P I S

5.

a. caixote de lixo
b. caneca
c. estojo

6.

A. c.
B. d.
C. b.

7.

ESTOJO	MOCHILA	SALA DE AULA
lápis	caderno	cesto de papéis
borracha	livro	cadeiras
lapiseira	bloco	quadro
esferográfica	estojo	giz

8.

Educação e Formação em Portugal

Em Portugal o ensino é obrigatório até ao 12º ano, com opção entre as escolas **públicas** ou **privadas**. O ensino Pré-Escolar destina--se às **crianças** com idades compreendidas entre os três e os seis anos. O ensino **básico** divide-se em 3 ciclos: o 1º ciclo, do 1º ao 4º ano, com crianças dos seis aos dez anos. O 2º ciclo, do 5º ao 6º ano, é frequentado por crianças dos dez aos doze anos. O 3º ciclo, do 7º ao 9 º ano, tem **adolescentes** dos doze aos quinze anos. O Ensino **secundário** abrange o 10º, 11º e 12º anos, sendo frequentados por adolescentes dos quinze aos dezoito anos. Do 10º ao 12º anos os estudantes podem escolher entre quatro áreas de **formação**: cursos científico-humanísticos, vocacionados para os alunos que desejem continuar estudos **superiores**; cursos tecnológicos, dirigidos a quem pretenda entrar no mercado de **trabalho**; cursos artísticos especializados, com vista a assegurar formação **artística** especializada nas áreas de artes visuais, audiovisuais, dança e música; cursos **profissionais**, destinados a facilitar a entrada no mundo do trabalho. O ensino superior compreende o ensino **universitário** e o ensino politécnico, ministrados por instituições públicas, privadas ou cooperativas. As **universidades** atribuem os graus académicos de licenciado, de mestre e de doutor. Os institutos **politécnicos** conferem o grau de licenciado e de mestre.

10. GEOGRAFIA

1.

a. ÁFRICA
b. EUROPA
c. CANADÁ
d. PEQUIM
e. REAL
f. SUÉCIA
g. NAIROBI

2.

a. continente
b. continente
c. país da América do Norte
d. capital da China
e. moeda do Brasil
f. país europeu
g. capital do Quénia

3.
a. Eurodisney
b. Índia
c. Rio de Janeiro
d. São Tomé
e. Sydney
f. mediterrânico

4.
a. F
b. F
c. V
d. V
e. F
f. F

5.
1. f.
2. g.
3. a.
4. b.
5. d.
6. e.
7. c.

6.
a. POLÓNIA
b. HOLANDA
c. GRÉCIA
d. PORTUGAL
e. FINLÂNDIA
f. ESPANHA
g. ALEMANHA

7.
a. E G I T O
b. G U I N É-B I S S A U
c. L Í B I A
d. R U A N D A
e. M A R R O C O S
f. M O Ç A M B I Q U E
g. A N G O L A

8.

Sobre a União Europeia

A União **Europeia** afirma-se como uma **parceria** económica e política, constituída por 28 países que se estendem por uma grande parte do continente **europeu**. Foi criada inicialmente, por seis países, em 1958, por razões económicas: Alemanha, Bélgica, França, Itália, Luxemburgo e Países Baixos. A mudança de nome C.E.E. para União Europeia reflete outras preocupações, como as **políticas**, o desenvolvimento e a política **ambiental**. Pode dizer-se que a União Europeia fundou uma **moeda** única, contribuiu para mais de meio século de paz e **estabilidade** e melhorou o nível de vida dos europeus.

9.
1. e.
2. f.
3. a.
4. b.
5. c.
6. d.

11. MEIOS DE COMUNICAÇÃO

1.

1. f.
2. e.
3. d.
4. c.
5. b.
6. a.

2.

a. F
b. F
c. F
d. V
e. V

3.

a. gato
b. telefone
c. classificados
d. telefonema
e. crédito

4.

a. NOTICIÁRIO
b. ANALÓGICO
c. CÂMARA
d. TELEJORNAL

5.

| 4 |
| 1 |
| 7 |
| 3 |
| 5 |
| 6 |
| 2 |

6.

a. D I S C O   R Í G I D O
b. P A L A V R A - P A S S E
c. T E C L A D O
d. R A T O
e. F I C H E I R O
f. E C R Ã
g. I M P R I M I R

7.

— Estou sim?
— Estou, João? É o Rui! Como estás?
— Ah, olá Rui, tudo bem? Não reconheci o **número** no **visor**!
— É o meu número novo. Aderi ao **pacote** da Tutti: 140 **canais**, internet e telefone por 40 euros por **mês**.
— É uma boa opção. E as **chamadas** são gratuitas?
— Sim, para todos os **números** que começam por 21.
— Também me vão instalar a **fibra ótica** lá em casa, no sábado de manhã. Tinha de ser, por causa da **T.D.T.**. Mas, vou ficar com a mesma **tarifa** e o mesmo **número**.
— São os sinais dos tempos. Olha, e se fôssemos beber um copo logo à noite?
— Boa ideia! Já não saio há muito tempo, estou mesmo a precisar de descontrair um bocado. Então, às 11h na "Brasileira"?
— Está combinado. Até logo!
— Até logo!

12. MERCADO DE TRABALHO

1.

    a. O juiz Santos Silva estudou Direito em Coimbra nos anos setenta.

    b. O Ministério da Educação fica situado na Avenida 5 de Outubro em Lisboa.

    c. A Isabel e o João vão estudar na biblioteca das 14h às 18h.

    d. O José abriu uma oficina na margem sul.

    e. O António é operário metalúrgico numa fábrica há 30 anos.

    f. Os meus primos herdaram uma quinta no Norte.

    g. O Miguel trabalha por turnos num hospital no Porto.

2.

Os pais do Tiago são **agricultores**. Têm uma **quinta** com vacas, porcos e **galinhas**. O Tiago tem 25 anos e é **engenheiro agrónomo**. Apesar da vida dura, decidiu continuar a trabalhar na **agricultura** ou qualquer atividade ligada à terra. Ele ainda não sabe se vai investir na **pecuária** ou na **apicultura** com a produção de mel ou se vai construir estufas de morangos.

3.

    — Viva! Tudo bem?

    — Tudo bem! Por aqui?

    — Pois é! Venho **buscar** o meu **carro** que está numa **oficina** aqui perto.

    — Ai a **conta** !!!!!!!!!!!!!

    — Bem, o **orçamento** que o **mecânico** me fez não é muito elevado. Vamos lá ver!

    — Gostei de te ver! Telefona-me para irmos beber um café!

    — Está bem. Vá, tenho de ir.

    — Até à próxima. Cumprimentos lá em casa.

4.

    a. F

    b. F

    c. V

    d. F

    e. V

    f. F

    g. F

5.

A	P	R	P	R	O	F	E	S	S	O	R
C	R	A	F	M	I	N	E	I	R	O	X
H	S	C	G	W	T	Y	U	L	K	H	J
F	U	T	E	B	O	L	I	S	T	A	P
K	N	O	S	E	C	E	Q	C	F	D	A
Z	T	R	C	R	U	C	W	O	A	V	D
X	A	T	R	T	L	O	E	Z	D	O	E
A	X	Y	I	Y	I	N	R	I	I	G	I
C	I	U	T	U	S	O	T	N	S	A	R
T	S	I	O	I	T	M	Y	H	T	D	O
O	T	O	R	O	A	I	U	E	A	O	U
R	A	P	B	P	P	S	I	I	B	L	P
W	Z	A	N	Z	L	T	O	R	C	M	L
M	U	S	I	C	O	A	C	O	D	N	F

6.

7
5
4
6
1
8
3
2

7.

A Joana abriu uma pequena **loja** de **artesanato** há dois anos num **centro comercial**. Ela própria fazia os colares, os brincos, as pulseiras, as malas, as camisolas de lã... Ela gostava de ser a **patroa**, mas a **renda** era muito alta e teve de fechar a **loja**. Agora é **operadora** de **caixa** num **supermercado** e anda à procura de outro **emprego** melhor.

13. RELAÇÕES INTERPESSOAIS

1.

— Boa tarde **vizinho**, como está?
— Bem, obrigado. E o **vizinho** ?
— Vai-se andando, vai-se andando.
— Então, logo temos a **assembleia-geral**.
— É verdade, já me estava a esquecer! Não me apetecia nada ir, pois ando engripado e dói-me o corpo e a cabeça.

— Mas temos de ir. Mas também vai ser rápido. É só apresentar as **contas** do ano passado e o **orçamento** para este ano.

— Esperemos que todos os **condóminos** estejam presentes. Ou pelo menos 2/3. Assim, já podemos fazer a **reunião**.

— Mais do que uma obrigação, é um dever. O dinheiro do **condomínio** é o dinheiro de todos.

— Exatamente! Bem, então, até logo. Mesmo que tenha febre, vou à reunião.

— Até logo.

2.

a. U N I Ã O D E F A C T O
b. S O L T E I R O
c. V I Ú V O
d. C A S A D O
e. D I V O R C I A D O

3.

a. P A I S
b. I R M Ã O
c. F I L H O
d. M A R I D O
e. S O B R I N H O
f. C U N H A D O
g. G E N R O

4.

| 6 |
| 3 |
| 5 |
| 2 |
| 1 |
| 4 |
| 7 |

5.

A	D	Z	Q	X	H	G	C	A
Z	S	V	T	S	P	R	L	M
C	O	L	E	G	A	E	U	I
L	C	B	T	R	T	M	B	G
C	I	N	U	U	R	I	E	O
V	A	C	I	P	A	O	C	I
N	L	D	P	O	O	L	T	J
P	A	I	S	G	X	H	X	N
O	H	F	A	S	O	C	I	O

6.

A. c.
B. d.
C. b.

7.

— Então, de preto?
— Foi a minha **avó** que faleceu.
— Os meus **sentimentos**. Quando foi?
— Esta noite, de coração.
— Quando é o **funeral**?
— Amanhã, às 10h, lá na aldeia onde ela vivia. Vou para lá agora.
— É uma maneira de a **família** se reunir. Só nos vemos em **batizados**, **casamentos** e **funerais**.
— Mas olha que há **famílias** que nem isso!
— Tens razão.
— Olha, tenho de ir.
— Mais uma vez, os meus pêsames. Se precisares de alguma coisa, liga-me.
— Está bem, obrigada. Quando eu vier, vamos beber um café.
— Adeus. Cumprimentos lá em casa.
— Serão entregues.

8.

1. b.
2. c.
3. f.
4. e.
5. d.
6. a.

9.

a. padrinho
b. operário
c. condomínio
d. chefe
e. patrão
f. noivo
g. adepto

14. SERVIÇOS

1.

— Bom dia.
— Bom dia. Faça o favor de dizer.
— Queria mandar uma **carta registada** para o Porto.
— Com **aviso** de **receção**?
— Pode ser, é mais seguro. Assim, tenho a certeza que a pessoa vai receber a minha **carta**.
— Falta-lhe o **código postal**.
— Pois falta! É o 1700-187.
— Pode preencher este **impresso**, por favor?
— Com certeza.

....

— Aqui está. Mais alguma coisa?
— Sim, queria também um **selo** para os E.U.A. e outro para Portugal e queria saber o **indicativo** para telefonar para a Alemanha.
— A carta para Portugal, quer mandar por **correio azul** ?
— Pode ser.
— Aqui está o **selo** para os E.U.A. O **indicativo** para a Alemanha é o 00 49, seguido do número de telefone.
— Muito obrigada. Quanto é tudo?

— São cinco euros e dez cêntimos.
— Aqui está.
— Muito obrigada e boa tarde.
— Boa tarde.

2.

1. e.
2. d.
3. b.
4. f.
5. g.
6. c.
7. a.

3.

a. S E L O
b. C A R T E I R O
c. T E L E G R A M A
d. T E L E F O N E M A
e. C A R T A
f. E N C O M E N D A
g. C Ó D I G O   P O S T A L

4.

CARTA	CORREIOS	BANCO
código postal	listas telefónicas	crédito
selo	telefones	depósito
envelope	balcão	saldo
	envelope	balcão

5.

4
6
5
1
7
2
3

6.

a. SEGURO DE **VIDA**
b. SEGURO **AUTOMÓVEL**
c. SEGURO DE **SAÚDE**
d. SEGURO **MULTIRRISCOS**

7.

a. F
b. F
c. F
d. F
e. V

15. TEMPO

1.
- **a.** PRESÉPIO
- **b.** LUZES
- **c.** GASPAR
- **d.** PRESENTE
- **e.** ENTRUDO
- **f.** FANTASIA

2.
- **a.** outono
- **b.** segunda-feira
- **c.** dia da Mãe
- **d.** máscara
- **e.** ontem
- **f.** dia da Liberdade

3.
1. d.
2. c.
3. a.
4. b.

4.
— Olá, Maria, tudo bem?

— Tudo bem, e tu?

— Ando à procura de um presente para a minha mãe. **Amanhã** é **dia** da **Mãe** e ainda não comprei nada.

— Eu já comprei um **perfume** e um **cartão** para a minha mãe.

— A minha prefere **chocolates** ou flores.

— Oferece-lhe uma **orquídea**!

— Boa ideia!

— Vá, tenho de ir, beijinhos para a tua mãe e um **dia** feliz!

— Obrigada.

5.
- **a.** F
- **b.** V
- **c.** F
- **d.** V
- **e.** F
- **f.** F
- **g.** F

6.
- **A.** **a.** **Menino** Jesus
- **b.** árvore de **Natal**
- **c.** **Reis** Magos
- **d.** **Missa** do galo
- **B.** **a.** **caldo**-verde
- **b.** **sardinhas** assadas
- **c.** **sangria** fresca
- **d.** marchas **populares**

7.
- **a.** DIA DA LIBERDADE
- **b.** DIA DO TRABALHADOR
- **c.** DIA DE PORTUGAL
- **d.** DIA DE ANO NOVO
- **e.** DIA DE NATAL
- **f.** PÁSCOA

16. TEMPOS LIVRES E VIDA CULTURAL

1.

— Boa tarde.
— Boa tarde.
— Queria uma **entrada**, por favor.
— Com certeza. Aqui está.
— Quanto é?
— São cinco euros.
— Sabe se o Museu tem alguma **coleção** particular de Amália Rodrigues?
— Para isso terá de visitar a **Casa-Museu**, onde a fadista viveu e onde estão os seus **móveis**, as suas **roupas** e as suas **joias**.
— De certeza que vou visitar esse **museu**. Gosto muito de fado. Outra coisa, este museu tem **loja**?
— Sim, sim. Lá poderá encontrar livros, postais e até xailes.
— Bem, vou andando, obrigada.
— Boa visita.
— Obrigada.

2.

1. e.
2. g.
3. d.
4. b.
5. c.
6. a.
7. f.

3.

a. museu
b. bordar
c. partir
d. discoteca
e. piano
f. estudar

4.

a. CAMARIM
b. PLATEIA
c. PALCO
d. BALCÃO

5.

a. P A R T I T U R A
b. C O N C E R T O
c. O R Q U E S T R A
d. V I O L I N O
e. B A T E R I A

6.

a. F I L M E
b. A T R I Z
c. C I N E A S T A
d. F I L M A G E M
e. A R G U M E N T O

7.

1. b.
2. c.
3. e.
4. a.
5. f.
6. g.
7. d.

17. VESTUÁRIO E CALÇADO

1.

A. e.
B. e.
C. f.
D. c.

2.

1. c.
2. a.
3. b.
4. d.
5. e.

3.

— Bom dia.
— Bom dia. Faça o favor de dizer.
— Queria estas **sandálias** de **salto alto** que estão na **montra**.
— Com certeza. Que **número** calça?
— O 36.
— Só um momento que eu vou buscar.

....

— Aqui estão.
— Só tem nesta **cor**?
— Não, temos também em **castanho** e em **azul-escuro**.
— Queria experimentar em **castanho**.
— Com certeza. Vou buscar.
— Obrigada.

4.

a. P U L S E I R A
b. B R I N C O S
c. A L I A N Ç A
d. R E L Ó G I O
e. A N E L
f. P R E G A D E I R A
g. F I O

5.

a. V
b. V
c. V
d. F
e. F
f. F
g. V

6.

a. bermudas
b. sapatos
c. chapéu
d. biquíni
e. casaco
f. gravata
g. luvas

7.

a. S O B R E T U D O
b. C A C H E C O L
c. L U V A S
d. G O R R O
e. M E I A S
f. A N O R A Q U E
g. C A M I S O L A D E L Ã

18. VIAGENS E DESLOCAÇÕES

1.

a. EXCURSÃO
b. PRAIA
c. CRUZEIRO
d. ACAMPAR
e. PIQUENIQUE
f. MONTANHA

2.

a. E N G A R R A F A M E N T O
b. S E M Á F O R O
c. A U T O M Ó V E L
d. A U T O C A R R O
e. E L É T R I C O
f. B I L H E T E I R A
g. P A R A G E M

3.

6
2
4
1
3
5

4.

a. F
b. F
c. V
d. F
e. F
f. F
g. V

5.

— Bom dia.
— Bom dia. Como está?
— Bem obrigado. E a senhora?
— Vai-se andando, obrigada.
— Então, o que a traz por cá hoje?
— Queria um **bilhete** de avião para Roma.
— Para quando?
— Queria ir na sexta-feira, dia 12, e regressar no domingo, dia 21. Assim, tenho praticamente dez dias de **férias**.
— Dia 12 deste mês?
— Sim, sim. Veja lá se me arranja uma **passagem** baratinha.
— Então, e o **alojamento**?
— Tenho lá amigos a viver e vou ficar em **casa** deles.
— Que sorte! Assim poupa a **estadia**.
— É verdade! Então, já arranjou alguma coisa?
— Tenho aqui uma a 240 euros já com as **taxas** incluídas.
— Está bem. Pode comprar.
— Nesta altura, já não vai conseguir mais barata.
— Vou comprar.

6.

a. aviões
b. mergulhar
c. autoestrada
d. voar
e. montanha
f. floresta
g. toalhas

7.

1. e.
2. d.
3. b.
4. a.
5. c.
6. g.
7. f.

8.

PRAIA	COMBOIOS	AEROPORTO	PONTOS CARDEAIS
toalha	estação	piloto	leste
protetor solar	revisor	aterrar	este
surfe	gare	terminal	sudoeste
apanhar sol	cais	voo	sul

9.

A. c.
B. b.
C. d.